Outgrowing God
A Beginner's Guide
Richard Dawkins

リチャード・ドーキンス
大田直子訳

さらば、神よ

科学こそが道を作る

早川書房

1　宗教はどういうふうに始まるのか？　ごく最近生まれたので、実際に出現するところを観察できるものもある。南太平洋のタンナ島では、50年ほど前の訪問以降、フィリップ王配が神としてあがめられている。同じくらい新しい宗教として、いくつかの太平洋の島々に見られるカーゴカルト（積荷信仰）が挙げられる。現代に新しい宗教がこれほど突然、急速に出現するのであれば、世界の主要宗教が始まってから何世紀ものあいだに、どれだけのゆがめられた伝説が生まれ育つか、想像してみてほしい（第3章参照）。

2（上）　すさまじい疾走感だ。神はガゼルを捕まえるようにチーターをデザインするのと同時に、チーターから逃げるようにガゼルをデザインしたのだろうか？（第７章参照）

3（下）　カメレオンの舌は美しい自然の銛《もり》だ。管状の舌の内部にある舌骨《ぜっこつ》が、銛の爆発的なスピードに中心的役割を果たす。エレガントな「デザイン」だ。いや、ほんとうにそうなのか？（第７章参照）

タコが見える（**4**、上左）？　見えない。撮影した写真家にも見えなかった。突然、幽霊のような白色になって現れた（**5**、上右）。オスのイカ（**6**、左）は、どうしたらライバルを撃退するために白くなりつつ、メスを安心させるために、黄色いままでいられるだろう？　答えは簡単。2色になるのだ。カレイ（**7**、下）は神によって設計されたの？　どちらかと言うと、ピカソにデザインされたみたい！　実際には、頭の奇妙なゆがみの背後には進化の歴史がある。カレイ目《もく》をつくるのに、こんな方法を選ぶデザイナーはいないだろう（第7章参照）。

8　自然淘汰が生み出した擬態。細部の隅々までが、捕食者の鋭い眼によって完璧に磨かれている。それは神の手によるものだと人々が思いたがる理由もわかる（第７章参照）。

9　淘汰にできることを見てほしい。（人為）淘汰がたった30世紀で、野草のヤセイカンラン（上左）を（ブロッコリー、ケール、コールラビはもちろん）芽キャベツ、カリフラワー、キャベツ、そしてロマネスコに変えられるのなら、私たちの祖先が魚だったころからの300万世紀で、（自然）淘汰に何ができたかを考えてみてほしい（第8章参照）。

10　２種類の建築物。サグラダファミリア教会（右）は細かいところまですべて、偉大な建築家によってデザインされている。フィオナ・スチュアートによってオーストラリアで撮影されたシロアリ塚（左）は、デザインされていない。シロアリ、そのDNA、神のいずれによっても（第10章参照）。

信じがたいことに、ムクドリ（**11**、上）は振り付けの名人に監督されているわけではないのに、完璧に組織化されている。群れは単一の生体、巨大な空中のアメーバのように見える。しかし振付師はいない。それがどのように行なわれるかをコンピューターシミュレーション（**12**、下）が示している（第10章参照）。

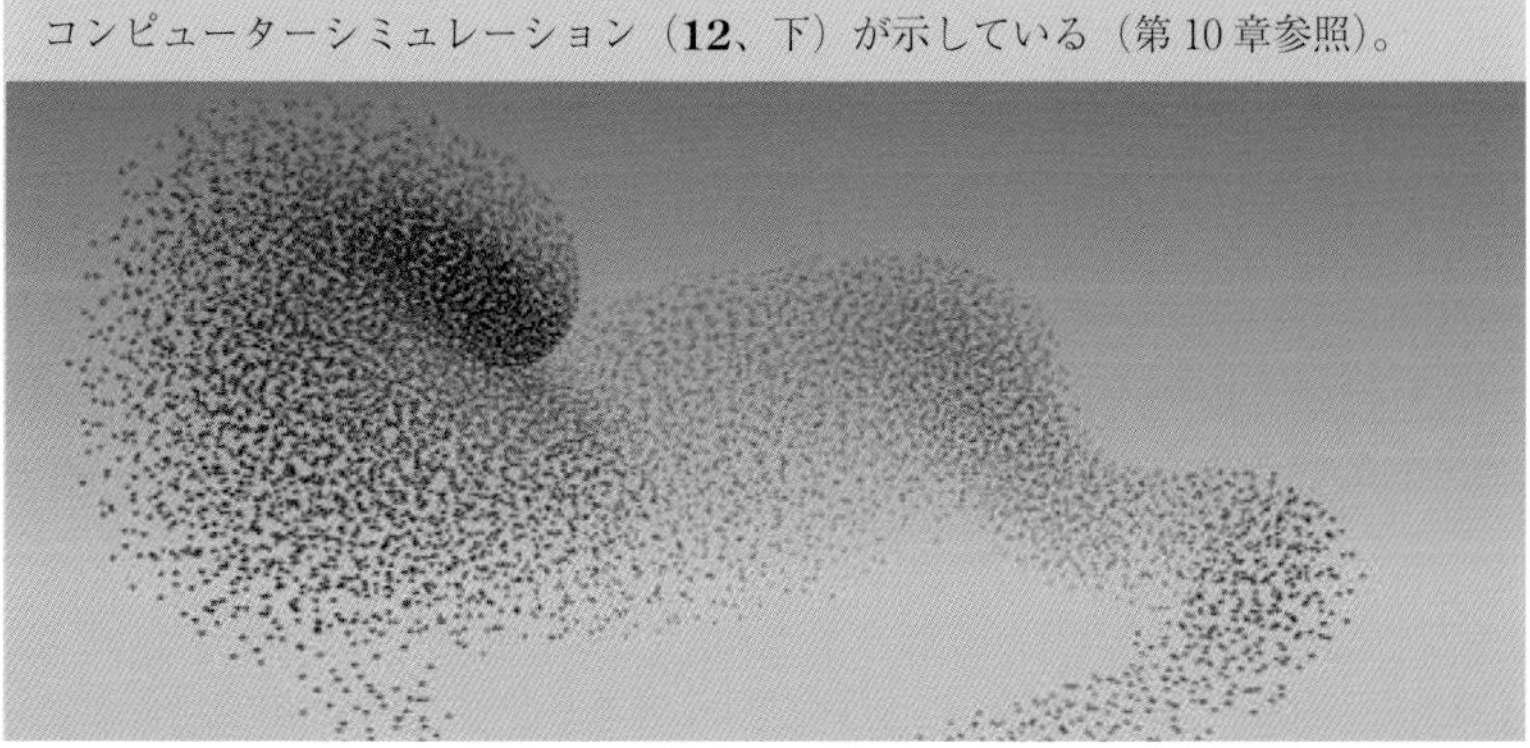

13　トリック写真。上半分は本物の銀河の本物の写真。下半分はコンピューターシミュレーション、ビッグ・バンのほぼ直後（たった30万年後）に始まった宇宙の成長をシミュレーションするイラストリス。ちがいがわかる？（第12章参照）

さらば、神よ

——科学こそが道を作る

OUTGROWING GOD
by
Richard Dawkins

Translated by
Naoko Ohta
First published 2020 in Japan by
Hayakawa Publishing, Inc.
This book is published in Japan by
direct arrangement with
Richard Dawkins Ltd.
c/o Brockman, Inc.

装幀／木庭貴信（オクターヴ）

ウィリアムへ
そして自分で判断できる年齢になったすべての若者たちへ

目次

第1部　さらば、神よ

第2部　進化とその先

第1部　さらば、神よ

Goodbye God

第1章　神はとてもたくさん！

あなたは神を信じる？

どの神を？

古今東西、たくさんの神があがめられてきた。多神教徒（polytheist）は同時にたくさんの神を信じている（「theos」はギリシア語の「神」で「poly」はギリシア語の「たくさん」）。ウォータン（またはオーディン）は北欧のヴァイキングにとっての主神だ。ヴァイキングにはほかにも美の神バルドル、雷神トール（強力なハンマーを武器にする）、その娘のスルーズといった神々、さらには知恵の女神スノトラ、母性の女神フリッグ、海の女神ランなどの女神たちもいた。

古代ギリシアとローマの人々も多神教徒だった。彼らの神々もヴァイキングの神々と同じようにとても人間に近く、人間的な欲望や感情が強かった。ローマの一二神は、同じ仕事をつかさどるとされるギリシアの神々と対《つい》にされることが多い。たとえば、ゼウス(ローマのユーピテル)は雷電を武器とする神々の王、その妻がヘーラー(ユーノー)、ポセイドン(ネプチューン)は海の神、アフロディーテ(ヴィーナス)は愛の女神、ヘルメース(マーキュリー)は翼のついたサンダルで飛ぶ神々の使者、ディオニューソス(バッカス)はぶどう酒の神。いまも存続している主要宗教のうち、ヒンドゥー教も何千という神のいる多神教だ。

多くのギリシア人とローマ人が神は実在すると考え、神に祈り、動物をいけにえとし、幸運は神のおかげとたたえ、事態が悪くなると神のせいにした。そうした古代の人々が正しくなかったと、どうしてわかるのか? もう誰もゼウスを信じないのはなぜ? 確かなことはわからないが、ほとんどの人はこうした古代の神々に関して、自分は「無神論者(atheist)」だと言えるだけの十分な自信がある(「theist」は神〔々〕を信じる人、「atheist」——a-theistで「a」は「ない」を意味する——は信じない人だ)。ローマ人はかつて、初期キリスト教徒はユーピテルやネプチューンやその仲間の誰のことも信じていないから、無神論者だと言っていた。この言葉は現在、どんな神もまったく信じない人を指すのに使われる。

おそらくあなたもそうだと思うが、私はユーピテルもポセイドンもトールもヴィーナスもキューピッドもスノトラもマールスもオーディンもアポロも信じない。古代エジプトの神々、たとえばオシリスやトト、ヌト、アヌビス、その弟で、イエス・キリストや世界中のほかのいろいろな神と同様に処女から生まれたとされるホルスも信じていない。ハダド、エンリル、アヌ、ダゴン、マルドゥクなど、古代バビロニアの神々のどれも信じていない。

私はアンヤンウ、マウ、ンガイなど、アフリカの太陽神を信じない。ビラ、グノウェー、ワラ、ウリウプラニリ、カラウルなど、オーストラリア先住民があがめる太陽の女神を信じない。アイルランドの太陽の女神エダインや、月の神エラッハなど、さまざまなケルトの神や女神も信じていない。中国の水の女神媽祖《マーツー》、フィジーのサメの神ダクワカ、ヒッタイトの海の大蛇イルルヤンカも信じていない。何百何千という空の神、川の神、海の神、太陽の神、星の神、月の神、天気の神、火の神、森の神を信じていない……信じていない神がすごくたくさんいる。

私はユダヤ教の神ヤハウェを信じていない。でも、もしあなたがユダヤ教徒、キリスト教徒、またはイスラム教徒として育てられたなら、あなたは信じている可能性が高い。ユダヤ教の神はキリスト教徒だけでなく、イスラム教徒にも（アラビア語のアッラーという名で）採用された。キリスト教とイスラム教は古代ユダヤ人の宗教の分派なのだ。キリスト教の聖書の前半は完全にユダヤ教であり、イスラム教聖典のコーランにはユダヤ教聖典にもとづいている部分もある。ユダヤ教、キリスト教、そしてイスラム教の三宗教はよく、「アブラハム」宗教としてまとめられる。なぜなら、三つとも伝説の父祖アブラハムに由来するからであり、彼はユダヤ民族の始祖としても崇敬されている。アブラハムについては、あとの章でまた取り上げるつもりだ。

この三つの宗教はすべて唯一神を信じると主張しているので、一神教と呼ばれる。「主張している」と言ったのには理由がいろいろある。ヤハウェは現代の最も有力な神だが、もとは古代イスラエル人の部族神にすぎず、彼らは自分たちが神の「選ばれた民」として扱われ、気にかけてくれているものと信じていた（ヤハウェが世界中であがめられるようになったのは歴史上の偶然である——紀元三一二年にコンスタンティヌス一世が改宗したあとローマ帝国内でのキリスト教信仰を認めたのだ）。近隣の部族には彼ら独自の神がいて、その神は自分たちを特別に守ってくれていると信じていた。でも、イスラエル人が自分たちの部族神をあがめていたにしても、カナン人の豊穣神バアルのような、ライバル部族の部族神を信じていなかったとはかぎらない。彼らはただ、自分たちの神ヤハウェのほうが強い力をもっていると考えただけだ。そしてひどく嫉妬深いとも思っていた（このことはあとで見ていく）。ほかの部族神に浮気していることが知られたら、自分たちには災いが降りかかる、と。

現代のキリスト教徒とイスラム教徒も、一神教徒かどうかかなり怪しい。たとえば（キリスト教で）サタン、または（イスラム教で）シャイターンと呼ばれる、邪《よこしま》な「悪魔」を信じている。ほかにもベルゼブブ、オールド・ニック、イヴィル・ワン、アドヴァーサリ、ベリアル、ルシファーなど、さまざまな通り名がある。彼らは悪魔を神とは呼ばないが、悪魔は神のような力をもっていて、その邪悪な力によって神の善良な力に対抗する壮大な戦争をしかけるのだと考えている。宗教が古い宗教から考えを引き継ぐことはよくある。善対悪の壮大な戦いという考えは、ゾロアスター教から来ているのかもしれない。これは古代ペルシア人預言者のゾロアスターを開祖とする古い宗教で、アブラハムの宗教に影響を与えている。ゾロアスター教は二神教であり、二神とは善の神（アフラ・マズダ）と死闘を繰り広げる悪の神（アングラ・マイニュ）である。いまでもとくにインドには少数のゾロアスター教徒がいる。これもまた私は信じていないし、たぶんあなたも信じていない宗教だ。

とくにアメリカとイスラム諸国では無神論者におかしな非難が浴びせられているが、そのひとつがサタンを崇拝しているというものだ。無神論者は当然、善の神を信じないのと同じように悪の神も信じない。超自然的なものは何も信じない。サタンを信じるのは信仰心のある人だけだ。

キリスト教には多神教に近い点がほかにもある。「父（なる神）と（神の）子と聖霊」

は「三位一体《さんみいったい》」と表現される。これが正確に意味するところは、何世紀にもわたってしばしば激しく議論されている。多神教を一神教に押し込むための決まり文句のようにも聞こえる。キリスト教を三神教と呼んでも許されるだろう。キリスト教の歴史において、東方（正）教会と西方（ローマ）カトリック教会に分裂した原因はおもに、次の問題についての論争にあった。聖霊は父と子から「発出する」（これが何を意味するにせよ）のか、それとも父だけからなのか？　実際、神学者たちはこのようなことを考えるのに明け暮れている。

それに、イエスの母マリアがいる。ローマカトリック教徒にとって、マリアは実質的に女神である。彼らは彼女が女神であることを否定するが、それでも彼女に祈りをささげる。そして彼女は「無原罪懐胎」したと信じている。どういう意味か？　つまり、カトリック教徒は、人間はみな「生まれながらに罪を背負っている」と信じている。罪を犯すにはちょっと幼すぎると思えるような、小さな赤ん坊も例外ではない。ところがカトリック教徒は、マリアは（イエスと同様）例外だったと考えるのだ。ほかの人はみな最初の人間であるアダムの罪を受け継いでいる。実際のところ、アダムは実在しなかったので、彼は罪を犯せなかった。でも、カトリックの神学者はそんな細かいことを気にしない。さらにカトリック教徒は、マリアは死んだのではなく、肉体が天に召されたのだと信じている。そして彼女を、頭に小さな王冠を載せた「天の女王」（ときには「宇宙の女王」！）として描く。こうしたことすべてを考えると、彼女は少なくともヒンドゥー教の三億二〇〇〇万の神々（ヒンドゥー教徒自身によれば単一神のバリエーションにすぎない）に匹敵する、女神であるように思われる。古代ギリシア人やローマ人やヴァイキングが多神教徒だったのなら、ローマカトリック教徒もそうだ。

　ローマカトリック教徒は個々の聖人、つまり、とくに高徳とみなされ、教皇によって「列聖」された死者にも祈りをささげる。教皇ヨハネ・パウロ二世は四八三人を新たに列聖し、現教皇のフランシスコは、一日だけで八一三人も新たに列聖した。聖人の多くは特殊な技能をもっていて、そのために特定の目的で祈りをささげるに値すると考えられている。聖アンドリューは魚屋の守護聖人、聖ベルンヴァルトは建築家の守護聖人、聖ドロゴはコーヒーハウス店主の守護聖人、聖グマルスは木こりの守護聖人、聖リドヴィナはアイススケーターの守護聖人である。あなたが忍耐のために祈る必要があるなら、カトリック教徒はカッシアの聖リタに祈るようアドバイスするだろう。あなたの信仰が揺らいでいるなら、十字架の聖ヨハネを試そう。悩みや精神的苦痛があるなら、聖ディンプナがいちばんのお薦めだ。がん患者は聖ペレグリンを試す傾向がある。鍵をなくしたのなら、聖アントニウスにおまかせ。さらには天使たちもいる。熾《し》天使を頂点として、大天使から個人の守護天使まで、さまざまな階級がある。ローマカトリック教徒は天使が神や半神半人であることを否定し、自分たちはじつは聖人に祈るのではなく、神に口添えをしてほしいと頼んでいるのだと抗議する。イスラム教徒も天使を信じ、ジンと呼ばれる精霊も信じている。

私としては、マリアや聖人や大天使や天使が神でも半神半人でも、そのどちらでないとしても、たいした問題ではないと思う。天使が半神半人かどうかについて議論するのは、妖精がピクシーと同じかどうかを議論するのに似ている。

たぶんあなたも妖精やピクシーは信じていないだろうが、世界的に、アブラハムの三宗教のどれかを信じる家庭で、ユダヤ教徒、キリスト教徒、またはイスラム教徒として育てられる可能性は高い。私はたまたまキリスト教徒として育てられた。キリスト教の学校に通い、一三歳のときに英国《イングランド》国教会で堅信礼〔訳注　教会の正会員となる儀式〕を受けた。そして一五歳のころ、ようやくキリスト教信仰を捨てた。その理由のひとつはこうだ。九歳のころすでに、もし自分がヴァイキングの両親のもとに生まれていたら、オーディンとトールを固く信じていただろうと気づいていた。もし古代ギリシアに生まれていたら、ゼウスとアフロディーテをあがめていただろう。現代のエジプトかパキスタンに生まれていたら、イエスはただの預言者であり、キリスト教の聖職者が教えるような神の子ではないと信じていただろう。もしユダヤ教徒の両親のもとに生まれていたら、キリスト教の学校で教えられたようにイエスを救世主と考えるのでなく、いまだに長く約束されている救い主、メシアを待っていただろう。人はそれぞれの国で育つなかで、自分の親を手本とし、自分の国の神や神々を信じる。そうした信仰は互いに矛盾するので、すべてが正しいはずはない。

無神論もたくさん

そのうちのひとつが正しいとして、どうしてその正しいものが、あなたの生まれた国であなたがたまたま受け継いだ信仰であるはずなのか？　べつに皮肉屋でなくても、こんなふうに思うだろう。「ほとんどの子どもが親と同じ宗教を信じ、それがつねにたまたま正しい宗教だなんて、すばらしいことじゃないか！」。私がむかつくことのひとつは、小さい子どもに親の宗教のレッテルを貼る習慣だ。「カトリックの子」、「プロテスタントの子」、「イスラム教の子」といった具合だ。そのような表現が、宗教についての意見をもつことはおろか、しゃべることさえできないような幼い子どもに使われているのを耳にする。私には「社会主義の子」とか「保守主義の子」について話すのと同じくらいばかげたことに思えるし、誰もそのような表現は使わないだろう。「無神論者の子」についても話すべきではないと思う。

ところで、信仰をもたない人たちの呼び名はほかにもいくつかある。名前のある神を信じていなくても、「無神論者」という言葉を避けたがる人は大勢いる。そのなかには、ただ「私にはわからない、知りようがない」と言う人もいる。彼らはたいてい、「不可知論者(agnostic)」を自称する。（無知を意味するギリシア語にもとづく）この言葉を考え出したのは、トマス・ヘンリー・ハクスリー。チャールズ・ダーウィンの友人で、ダーウィンが内気すぎて、または忙しすぎて、はたまた病気のせいでやれないとき、代わりに公然と彼のために戦ったので、「ダーウィンのブルドッグ」と呼ばれた人物だ。不可知論者を自称する人のなかには、神が存在する可能性と存在しない可能性がまったく同じだと考える人もいる。この考えはむしろ説得力がないと私は思うし、ハクスリーもそう思っただろう。私たちは妖精がいないことを証明できないが、だからと言って、妖精が存在する可能性は五分五分だと考えるわけではない。もっと良識ある不可知論者は「確かなことはわからないが、なんらかの神がいる可能性はとても低いと思う」と言う。「可能性はなくはないが、とにかく私たちにはわからない」と言う不可知論者もいる。

名のある神を信じていなくても、「なんらかの大いなる力」あるいは「純粋な魂」にあこがれる人たちもいる。いわゆる創造的知性もその部類だが、それについては宇宙をデザインしたことしか知られていない。彼らはこう言うだろう。「ええ、私は神を信じない」――たぶんアブラハムの神という意味で――「だが、それだけのこととは思えない。もっと何か、超越した何かがあるにちがいない」

「汎神論者」を自称する人たちもいる。汎神論者が何を信じているかはややあいまいだ。彼らは「私の神は万物である」とか「私の神は自然である」とか「私の神は宇宙である」というようなことを言う。あるいは、「私の神は私たちが理解していないすべての深い謎である」とか。偉大なアルベルト・アインシュタインは「神」という言葉を、この最後の文の意味で使っていた。その神は、アブラハムの神がするようにあなたの祈りを聞き、あなたの心の奥の考えを読み、あなたの罪を赦《ゆる》す（または罰する）神とはまったくちがう。アインシュタインは、こうしたことを行なう人格神は信じない、と断固主張していた。「理神論者」を自称する人もいる。理神論者は、歴史上に何千といる名のある神を信じない。しかし、汎神論者よりも少し明確なものを信じている。彼らの信じる創造的知性は、宇宙の法則を生み出し、時空の始まりに万物を作動させ、それ以上は何もしなかった。すべてが彼（それ？）の定めた法則にしたがって起こるに任せたのである。トマス・ジェファーソンやジェームズ・マディソンなど、アメリカ合衆国の偉大な建国者の多くは理神論者だった。私としては、もし彼らが一八世紀ではなくチャールズ・ダーウィンよりあとに生きていたら、無神論者だったのではないかと思うが、それを証明はできない。

人が自分は無神論者だと言うとき、神がいないことを証明できると言っているのではない。何かが存在しないことを証明することは厳密には不可能だ。神はいないと確信をもって知ることはできない。妖精も、ピクシーも、エルフも、ホブゴブリンも、レプラコーンも、ピンクのユニコーンも、いないことを証明できないのと同じ。サンタクロースも、イースターのウサギも、歯の妖精も、いないことを証明できないのと同じだ。あなたが想像できて、存在しないことを誰も証明できないものはごまんとある。この点について、哲学者のバートランド・ラッセルが鮮烈な表現で核心を突いている。彼によると、私があなたに太陽の周りを回る陶器のティーポットがあると言ったとしたら、あなたは私の主張を反証できない。しかし何かを反証できないことは、それを信じる正当な理由にはならない。厳密な意味で、私たちはみな「ティーポット不可知論者」であるはずだ。実際には、無ティーポット論者である。無ティーポット論者、無妖精論者、無ピクシー論者、無ユニコーン論者、無思い描けるもの論者であるのと同じ意味で、無神論者になりえる。

厳密に言えば、私たちに想像ができて、その存在を誰も反証できない無数のものすべてについて、私たちはみな不可知論者であるはずだ。でも、私たちはその存在を信じていない。そして誰かが信じるべき理由を提示するまで、わざわざ反証することは時間の無駄である。それがいま、私たちがトールやアポロ、ラー、マルドゥク、ミスラ、そして山上の大ジュジュについて考えていることだ。もう少し踏み込んで、同じことをヤハウェやアッラーについて考えられるのではないか?

先ほど「誰かが信じるべき理由を提示するまで」と言った。そう、多くの人が、なんらかの神を信じる理由だと自分が思うことを示してきた。あるいは、名前のない「大いなる力」や「創造的知性」のようなものを信じる理由を。だから、そうした理由に目を向けて、それがほんとうに正当な理由かどうかを確かめる必要がある。この本では、そのうちのいくつかを見ていこうと思う。とくに、進化について取り上げる第2部で。

この壮大なテーマについて、いまのところ私が言っておく必要があるのは、進化は明確な事実であるということだけ。私たちはチンパンジーの親戚であり、サルのもう少し遠い親戚であり、魚のもっとずっと遠い親戚であり、という具合だ。

書物を根拠に神を信じる人は大勢いる。聖書やコーラン、その他の聖典だ。この章ですでにあなたは、信じる理由を書物に求めることを疑う気持ちになったかもしれない。ほんとうにたくさんのさまざまな信仰がある。あなたが読んで育った聖典が本物だと、どうしてわかる？　ほかの聖典がすべてまちがっているなら、どうしてあなたの聖典もまちがっていないと思うのだろう？　読者の多くはある特定の聖典、たとえばキリスト教の聖書を読んで育ったのではないだろうか。次章のテーマは聖書だ。誰が書いたのだろう？　そこに書かれていることが事実だと信じる理由は何だろう？

第2章　でも、事実なの？

聖書に書かれていることのどれだけが事実なのか？

歴史上の出来事がほんとうに起こったかどうか、どうすればわかるのだろう？　ユリウス・カエサルが存在したと、どうしてわかる？　征服王ウィリアムは？　教えてくれる目撃者はもういない。しかも証言を集める警察官なら誰でも言うように、目撃者というのは驚くほど当てにならない。カエサルとウィリアムが存在したことはわかっている。なぜなら、考古学者が紛れもない遺物を発見しているからであり、彼らが生きているときに書かれた文書から、多くの裏づけが見つかっているからだ。しかし、有力な目撃者が死んで何十年、何百年後にはじめて書かれた証拠しかない場合、歴史家は疑いをもつ。それは証拠として弱い。なぜなら、最終的に記録される前に口伝えされており、何気《なにげ》なくゆがめられた可能性があるから。書き手に偏見があった場合にはなおさらだ。ウィンストン・チャーチルいわく、「歴史は私に好意的だろう。私が歴史を書くつもりだから！」。この章では、『新約聖書』のイエスに関する物語の大部分に問題があることを見ていく。『旧約聖書』については第3章まで待ってほしい。

イエスはアラム語を話していただろう。ヘブライ語とつながりのあるセム語族の言語だ。『新約聖書』はもともとギリシア語で書かれ、『旧約聖書』はヘブライ語で書かれた。そしてさまざまな英訳が存在する。いちばん有名なのは一六一一年のジェームズ王欽定訳だが、そう呼ばれるのは、イングランド王ジェームズ一世（スコットランド王ジェームズ六世）の命令によって訳されたものだからである。このジェームズ王欽定訳は私が好きな英訳版だ。なにしろ言葉が美しい――その英語はシェイクスピアの時代の英語なので、意外ではない。とはいえ、その言葉は現代の読者にわかりやすいとはかぎらないので、この本では不本意ながら、現代版の『新国際訳聖書』を使うことにした。引用はとくに断り書きがないかぎり、新国際版からのものだ〔訳注　聖書からの引用は、とくに断り書きがないかぎり、日本聖書協会の『口語訳聖書』を使っている〕。

伝言ゲームというレクリエーションゲームがある。たとえば、一〇人を一列に並ばせる。

最初の人が二人目の人に何か——物語でもいい——をささやく。二人目はその話を三人目にささやき、三人目は四人目に、という具合だ。最終的に話が一〇人目に到達したとき、一〇人目は聞いたことを全員に話す。元の話がとても単純で短ければ別だが、話はたいてい面白おかしい方向に大きく変わる。列の後ろへと進むにつれて変わるのは言葉だけではなく、話そのものの重要な内容も変化する。

文字が発明される前、そして科学的な考古学が生まれる前、歴史を知る唯一の方法は口伝えの語りであり、そこには伝言ゲームにつきものの歪曲《わいきょく》が生まれた。それはちっとも信頼できない。語り手が次の世代に移っていくにつれて、物語はますます誤って伝えられる。やがて歴史——実際に起こったこと——は神話や伝説のなかに埋もれてしまう。伝説に残るギリシアの英雄アキレウスや、その顔が「千もの船を進水させた」とされる名高い美女ヘレネの背後に、実在の人物がいたかどうかを知るのは難しい。最終的に詩人ホメロスが書き記したとき（それがいつのことだったか、最も近い世紀さえも知られていない）、物語は何世代にもわたって口伝えで語り継がれるうちにゆがめられていた。信頼できる歴史的事実は消えてしまった。「ホメロス」が何者なのか、いつ生きていたのか、伝説どおり盲目だったのか、一人なのか大勢なのか、私たちにはわからない。彼の書いた物語がもともとどうして始まったのか、口伝えという歪曲のフィルターを通る前のことはわからない。事実として始まり、そのあとゆがめられたのか？　それとも創作されたフィクションとして始まって、語り継がれるうちに変わったのか？

同じことが『旧約聖書』の物語にも当てはまる。それを信じる理由がないのは、アキレウスやヘレネについてのホメロスの物語を信じる理由がないのと同じだ。ホメロスの話がギリシア人の伝説なのと同じで、アブラハムやヨセフの話はヘブライ人の伝説である。『新約聖書』はどうだろう？　『旧約聖書』より新しい時代の話をしているのだから、歴史的事実が期待される。たった二〇〇〇年前のことだ。しかし、イエスについて実際にどれだけのことがわかっているのだろう？　彼が存在したと確信できるだろうか？　現代の学者の全員ではないにしてもほとんどが、おそらく彼は存在したと考えている。どんな証拠があるのだろう？

福音書？　福音書は『新約聖書』の最初にあるので、最初に書かれたと思われるかもしれない。実際には、『新約聖書』で最も古い文書は巻末近くにある。聖パウロの手紙だ。残念ながら、パウロはイエスの人生についてほとんど何も語っていない。イエスの、とくに彼の死とよみがえりの、宗教的な意味についてはたくさん書いている。ところが、それが歴史だと主張している箇所さえほとんどない。パウロは読者がすでにイエスの生涯の物語を知っていると思ったのかもしれない。しかし、パウロ自身も知らなかった可能性がある。思い出してほしい、福音書はまだ書かれていなかったのだ。あるいは、それが重要だと思っていなかったのかもしれない。このようにパウロの手紙にイエスについての事実が出てこないことを、歴史家は不思議に思っている。人々にイエスをあがめてほしいと思っていたパウロが、実際にイエスが言ったり行なったりしたことについてほとんど何も言及していないのは、少し変ではなかろうか？

もうひとつ歴史家が気にしている点は、イエスのことに触れている文書が、歴史上、福音書のほかにほとんどないことである。ユダヤ人歴史家のヨセフス（紀元三七〜一〇〇年ごろ）はギリシア語で書いているのだが、次のように述べているだけである。

このころ、イエスという賢人がいた。ほんとうに彼を人と呼ぶべきであるなら、だが。というのも、彼は驚くべき業《わざ》をなした者であり、真理を喜んで受け入れる人々の師であった。そして大勢のユダヤ人と大勢のギリシア人をとりこにした。彼は救世主《メシア》であった。ユダヤ人指導者からの告発により、ピラトが彼を磔《はりつけ》にすると申し渡したときも、最初に彼を愛するようになった人々は彼を愛することをやめなかった。彼は三日目によみがえり、彼らの前に現れた。神の預言者たちはこうしたことを、彼に関するほかの多くの驚異とともに預言していたのである。そして彼にちなんでキリスト教徒と呼ばれる部族は、今日《こんにち》もなお消えていない。

多くの歴史家は、このくだりはでっち上げで、のちにキリスト教徒の書き手によって差し挟まれたのではないかと疑っている。いちばん疑わしいのは、「彼はメシアであった」という表現だ。ユダヤ人の伝統では、「メシア」はユダヤ人の敵をやっつけるために生まれてくる、待望の王または軍事指導者に与えられる名前だった。キリスト教徒は、イエスがメシアだと教えていた（「キリスト」はこの単語のギリシア語訳である）。しかし敬虔《けいけん》なユダヤ教徒にとって、イエスはちっとも軍事指導者のようには見えなかった。それどころか、これは控えめな言い方だ。「誰かに頬を打たれたら反対の頬も向けろ」とまで言う彼の平和的メッセージは、私たちが兵士に期待することではない。そのうえ、ローマ人の迫害者に抗《あらが》うべくユダヤ人を率いるどころか、イエスはおとなしく彼らに死刑に処された。イエスがメシアだという考えは、ヨセフスのような敬虔なユダヤ教徒にしてみれば、頭がおかしいと思えただろう。もしヨセフスが、どういうわけか自分が教え込まれたことすべてに逆らって、イエスのようなありえないキャラクターがメシアだと納得したとしたら、そのことについてくどくどと話していただろう。さりげなく「彼はメシアであった」と書くだけではなかったはずだ。いかにものちにキリスト教徒がでっち上げたように思える。たいていの学者がそう考えている。

ほかにイエスの話に触れている昔の歴史家は、ローマ人のタキトゥス（紀元五四～一二〇年）だけである。彼が書いたとされるもののほうがイエス実在の証拠として有力である。逆説的な理由だが、タキトゥスはキリスト教徒について何も良い話はしていないのだ。ネロ皇帝（紀元三七〜八七年）による初期キリスト教徒の迫害中に起こった出来事についてのラテン語の文章で、タキトゥスは次のように書いている。

忌まわしい行為のせいで民衆から憎まれ、キリスト教徒と呼ばれている階級に、ネロは有罪を言い渡し、最も激しい拷問を科した。その名の由来であるクリストゥスは、ティベリウスの治世中、代官の一人であるポンティウス・ピラトゥスの手にかかって極刑に処せられた。そうしてさしあたり抑圧されたきわめて有害な迷信が、最初にこの悪を生んだユダヤだけでなく、ローマでも再発した。ローマには、世界各地からあらゆるおぞましい恥ずべきものが集中し、そして広まるのだ。

いずれにせよ、この文章も作り話の疑いがある。

すべてではないが大半の学者によると、イエスは実在した可能性が高い。もちろん、『新約聖書』の福音書四巻が歴史的事実だと確信できれば、疑いの余地はないだろう。最近まで、誰も疑っていなかった。英語には、絶対的真実を意味する「福音書の真実」という慣用句まである。しかし一九世紀から二〇世紀にかけて、（とくにドイツ人の）学者による諸研究の結果、いまでは「福音書の真実」はかなり空々しく聞こえる。

福音書を書いたのは誰か？　いつのことか？　そのタイトルから、「マタイによる福音書（マタイ伝）」はイエスの一二使徒の一人だった徴税人のマタイによって書かれたと誤解している人が多い。そして「ヨハネによる福音書（ヨハネ伝）」は、「愛弟子」として知られるイエスの弟子のヨハネによって書かれたと思っている人が多い。「マルコによる福音書（マルコ伝）」はイエスの弟子たちのリーダーだったペテロの若い仲間によって書かれ、「ルカによる福音書（ルカ伝）」はパウロの友人の医師によって書かれたと思われている。でも、ほんとうに福音書を書いたのは誰なのか知っている人はいないし、四巻のどれについても証拠はない。のちのキリスト教徒が便宜上、福音書それぞれに名前を冠したのだ。A、B、C、Dのような退屈で当たり障りのない名前をつけるよりましに思えたにちがいない。現代のまじめな学者は、福音書が目撃者によって書かれたとは思っていないし、四巻のうち最も古い「マルコ伝」でさえ、イエスの死の三五年から四〇年後に書かれたことに同意している。「ルカ伝」と「マタイ伝」は、物語の大部分を「マルコ伝」から引いており、一部は「Q」と呼ばれる行方不明のギリシア語の文書から引いている。福音書はすべて数十年間、口伝えに語り継がれており、伝言ゲームの歪曲と誇張が生じたあと、ようやく書き記されたのだ。

一九六三年のケネディ米大統領暗殺は、大勢の人々に目撃された。フィルムにも収められている。世界中の新聞がその日のうちに報道した。さらに、起こったことをすべて細かく調査するために、いわゆるウォーレン委員会が設置された。委員会は科学者、医師、刑事、銃器の専門家からの専門的なアドバイスを取り入れた。そして八八八ページにおよぶウォーレン報告書は、ケネディを撃ったのは単独犯のリー・ハーヴェイ・オズワルドだと結論を下している。それでも長年のあいだに作り話や伝説や陰謀説が生まれており、目撃者が全員亡くなったあともずっと、話に尾ひれがついていくだろう。

「九・一一」のニューヨークとワシントンDCにおける同時多発テロが起こってから、まだ二〇年もたっていない。イエスの死から最古の福音書である「マルコ伝」が書かれるまでの時間より短い。しかも九・一一の事実は大量の文書に記録され、複数の目撃者によって報告され、以降、微に入り細に入り考察された。それでも意見は一致していない。インターネットでは陰謀のうわさや伝説、諸説が飛び交っている。アメリカの策略だと考える人もいた。あるいはイスラエルの陰謀だ。はたまた宇宙から来たエイリアンの企《たくら》みだ。当時、イラクの独裁者サダム・フセインが黒幕だと考える人もいた。彼らの目から見れば、それでブッシュ大統領のイラク侵攻が正当化される（ただし、それはけっして公式の理由ではなかった）。目撃者たちは、あの日ニューヨークの街に垂れ込める煙のような塵雲《じんうん》のなかに、自分がサタンの顔だと思うものをみとめたのである。

残念ながら、人々が作り話をするのは事実だ。インターネットのおかげで、そのことをかつてないほど痛感させられる。うわさやゴシップは、事実かどうかにかかわらず伝染病のように広がる。偉大なアメリカの作家マーク・トウェインは、こう言ったとされている。

「真実が靴を履いているあいだに、うそは地球の反対側まで到達する」。悪意のあるうそだけでなく、事実ではないが面白いので人々が楽しく人に話すような、よくできた物語も広まる。語り口が誠実で、それがうそだと確実にわからなければなおさらだ。面白くなくても、気味が悪くて異様な話も広まる。それもまた、物語が伝えられ語り継がれる理由である。

うその話でも、面白いうえに人の期待や先入観にぴったり合うおかげで広まっていく。その典型例を挙げよう。最初に背景を少し。あなたも「携挙《けいきょ》」について聞いたことがあるかもしれない。一部の牧師と作家が聖書の特定のくだりを根拠に、善良さで選ばれた数少ない幸運な人々がじきに突然空へと舞い上がって天国に消えるのだと、アメリカ人を中心に大勢の人々に信じさせた。これが「携挙」であり、約束されたイエス「再臨」の先触れとなる。ほかの――携挙されない――人たちは「取り残される《レフトビハインド》」。私たちは突然、数人の知人が跡形《あとかた》もなく消えてしまったと気づくのだ。たぶん「空へ」なら、携挙されるオーストラリア人は携挙されるヨーロッパ人とは逆の方向に舞い上がることになる！

さて、ここからが典型例の物語だ。事実ではないが広く信じられていて、よくできた話が広まる経緯を示している。一人のアーカンソー州の女性が運転する車の前を、人間の形をした等身大の風船をたくさん運んでいるトラックが走っていた。そのトラックが衝突事故を起こし、膨らまされたピンク色の人形が、空に向かってふわりと浮かんだ。ヘリウムガスで膨らまされていたからだ。女性はそれを携挙とイエスの再臨だと思い、「彼がもどった、彼がもどった」と叫んで、天国に携挙されるために、動いている車のサンルーフから這《は》い出した。その結果、二〇台の車が玉突き事故を起こし、女性自身だけでなく、一三人の罪のない人たちが亡くなった。その「一三人の罪のない人たち」という疑わしい詳さに注目してほしい。ただのうわさなら、そんな細かいことをはっきり言わないだろうと、あなたは考えるかもしれない。でも、それはまちがいだ。

この話がどれだけ「広まりやすいか」、あなたにもわかるだろう。誰かに事実として聞かされれば、ほぼまちがいなく誰かほかの人に話したくなる。話というのは、よくできた話だというだけの理由で広まる。たぶんそういう話は面白い。たぶん私たちには、よくできた話を伝えるときに浴びる注目が気持ちいいのだろう。ヘリウム人形の話は突飛なだけでない。人々の期待や先入観と一致することもあって広まりやすい。あなたにわかるだろうか、たとえばイエスの奇跡やよみがえりの物語にも、同じことが言えたかもしれないのではないか？　キリスト教という新しい宗教に改宗した熱心な信者はとくに、事実かどうか確認せずに、イエスについての話やうわさを伝えたがったかもしれない。

時は事実をゆがめる

九・一一やケネディの死にまつわるゆがめられた伝説について考えたうえで、もしカメラも新聞もなく、事件のあと三〇年間何も書き記されていなかったら、どれだけ造作もなく物事がゆがめられていたか、想像してほしい。口コミのゴシップだけだったら、どうなっていただろう。イエスの死後の状況はそうだった。パレスティナからローマまで地中海東部全土に、さまざまな種類のキリスト教徒の集団が散らばっていた。各地のキリスト教分派どうしのコミュニケーションは乏しく、めったにないことだった。福音書はまだ書かれていない。気持ちをひとつにしてくれる『新約聖書』もない。キリスト教徒はユダヤ教徒でなくてはならない（そして割礼を受けなくてはならない）かどうか、キリスト教はまったく新しい宗教なのかどうかなど、さまざまな点で意見が分かれていた。パウロの手紙のなかには、初期キリスト教の混乱に秩序をもたらそうと奮闘する指導者について、綴《つづ》っているものもある。

公認の聖書「正典」は、パウロの死から数世紀がたってようやく定まった。「正典」とは、公式に承認されている書のリストを意味する。いまの（プロテスタントの）キリスト教徒が読んでいる聖書は、『新約聖書』に二七巻、『旧約聖書』に三九巻を収めた標準的な正典である（ローマカトリックと東方正教には、よく「外典」と呼ばれる一連の付加的な書がある）。

正典の福音書は「マタイ伝」、「マルコ伝」、「ルカ伝」、「ヨハネ伝」だけだが、このあと見ていくように、同じころにイエスの福音書はもっとたくさん書かれた。正典がだいたい定められたのはローマ会議と呼ばれる教会指導者の会合でのことだ。それは紀元三八二年、コンスタンティヌス大帝の改宗に続いて、キリスト教がローマ帝国で正式に認められたあとの意気盛んな時期だった。コンスタンティヌスがいなければ、あなたはユーピテルやアポロ、ミネルヴァなどのローマの神々を崇拝するように育てられていたかもしれない。かなりあとに南アメリカでローマカトリックが普及したのは、（ブラジルを治めた）ポルトガル帝国と（ほかの南アメリカ各地を治めた）スペイン帝国という、またもや二つの帝国が原因だった。北アフリカ、中東、およびインド亜大陸にイスラム教が広がっているのも、やはり軍事征服の結果だ。

先ほど言ったとおり、「マタイ伝」、「マルコ伝」、「ルカ伝」、「ヨハネ伝」は、ローマ会議のころにたくさん出回っていた福音書のうちの四篇にすぎない。あまり知られていない福音書を、あとでいくつか取り上げようと思う。そのどれもが正典に入っていた可能性があるが、さまざまな理由でそうはならなかった。たいていは異端と判断されたからだが、会議メンバーの「正統な」信条と意見が一致しなかったにすぎない。「マタイ伝」、「マルコ伝」、「ルカ伝」、「ヨハネ伝」より、書かれた時期が少しあとだったことも理由のひとつである。とはいえ先ほど話したように、「マルコ伝」でさえ、歴史として信頼できるほど昔に書き記されたものではない。

この四篇が選ばれたのには妙な理由もある。歴史というより詩的な思い入れのおかげで選ばれたのだ。「教父」と呼ばれた初期キリスト教の有力者の一人、イレナエウスが生きていたのはローマ会議の二世紀前である。彼は、福音書は四巻、それより多くても少なくてもだめだと確信していた。そして（いかにも大事なことのように）大地の四隅や四方の風があると指摘している。おまけに「ヨハネの黙示録」は、神の玉座に四つの顔をもつ四つの生きものがかしずいていることに触れている。この発想は『旧約聖書』の預言者エゼキエルから出ているようだ。エゼキエルはそれぞれ四つの顔をもつ四つの生きものが、激しい風のなかから出てくる夢を見た。四、四、四、四。四からは逃れられない。当然、正典には福音書が四巻でなくてはならない！　残念ながら、これが神学で論理として通る種類の「論法」である。

ちなみに、「ヨハネの黙示録」が正典に加えられたのはもっとあとのことで、加えられたことを残念に思う。ヨハネという男がある夜、パトモスと呼ばれる島で奇妙な夢を見て、それを書き留めたものだ。人はみな夢を見るし、その多くはひどく奇妙だ。私の夢もたいがい奇妙だが、私はそれを書き留めない。それに、他人に押しつけていいほど面白いとはけっして思わない。ヨハネの夢はとくに奇妙だった（まるで彼がドラッグをやっていたかのようだ）。そして、どういうわけか正典に入ったというだけの理由で、絶大な影響力をもつようになった。預言の書とされていて、アメリカでは激しやすい説教師によく引用される。「黙示録」はパウロの「テサロニケ人への第一の手紙」とともに、「携挙」の主要な着想源である。「アルマゲドンの戦い」が終わるまで待望のイエスの再臨は起こらない、という危険な考えもこの書から生まれている。この考えのせいで、アメリカにはイスラエルを巻き込んだ中東での全面戦争をひそかに待ち望む人もいる。その戦争が「アルマゲドン」だと思っているのだ。

いわゆる『レフトビハインド』シリーズの小説〔訳注　近未来に携挙が起こったあとの世界を描いたアメリカの小説。ニコラス・ケイジ主演で映画化もされている〕が大人気になって以降、携挙は現実に起こるのだというばかげた考えを真剣に信じている人が、とくにアメリカには大勢いる。すぐにも起こるのだと思っている。前触れもなく体が天国に引き上げられた場合に、ペットのネコの面倒を見る有料サービスを宣伝するウェブサイトまである。どの書が正典に入り、どの書が取り残される《レフトビハインド》かを決めるのは運にすぎなかったことに、人々が気づいていないのは残念だ。

イエスの死から福音書が書かれるまでにかなり間《ま》があったことは、歴史の手引き書としての信頼性を疑う理由のひとつである。もうひとつの理由は、福音書が互いに矛盾していることだ。たとえば、イエスには一二人の近しい弟子がいたことについては、すべての福音書が一致しているが、その弟子が誰だったかは一致していない。「マタイ伝」と「ルカ伝」は、マリアの夫ヨセフの家系をダビデ王からたどっているが、あいだに入る先祖がまったくちがっていて、「マタイ伝」の場合はヨセフが二五代目、「ルカ伝」では四一代目である。しかも、イエスは処女の母親から生まれたとされているので、キリスト教徒はイエスがダビデの子孫であることを立証するために、ダビデから続くヨセフの家系を使うことはできない。たとえばローマの統治者とその行ないなど、知られている歴史的事実と福音書の不一致もある。

福音書のさらなる問題は、『旧約聖書』の預言の成就にこだわっていることだ。とくに「マタイ伝」に顕著である。とにかく預言を成就させるために、マタイには出来事をでっち上げて福音書に書き入れる能力があった、という感じを受ける。最も目立つ例は、マリアがイエスを産んだときに処女だったという伝説をつくり出したことだ。これはまさに独り歩きしてしまった伝説である。「マタイ伝」では、天使がヨセフの夢に現れ、未来の妻であるマリアを妊娠させたのは神であって、別の男ではないと請け合う様子が語られている（ちなみに「ルカ伝」の説明はちがっていて、天使はマリア本人に現れる）。いずれにせよ、マタイは恥ずかしげもなく、読者に次のように認めている。

すべてこれらのことが起ったのは、主が預言者によって言われたことの成就するためである。すなわち、「見よ、おとめ（virgin）がみごもって男の子を産むであろう。その名はインマヌエルと呼ばれるであろう」。これは、「神われらと共にいます」という意味である。

ひょっとすると、「恥」という言葉を使うのはまちがいかもしれない。マタイが誰だったにせよ、私たちとは歴史的事実の考え方がちがったのだ。彼にとってほんとうに重要なのは預言の成就であって、実際に起こったことではなかった。彼は私が「恥ずかしげもなく」と言った理由を理解しなかっただろう。

その一方、マタイは預言を完全に誤解している。それは「イザヤ書」第七章に書かれている。そして「イザヤ書」からわかるのは――マタイにはわかっていなかったようだが――イザヤが話していたのは遠い将来についてではなく、当時の近い将来についてだったことだ。彼は王アハズに語りかけていたのであり、話に出ているのはじつは彼らの前にいた特定の女性であって、彼が話しているときにすでにみごもっていた。

マタイが「virgin」として引用した単語は、「イザヤ書」のヘブライ語ではalmahだった。almahには処女という意味があるが、「若い女性」という意味もある。両方の意味がある「乙女（maiden）」に似ている。ヘブライ語の「イザヤ書」が、マタイが読むことになる『セプトゥアギンタ』と呼ばれる『旧約聖書』のギリシア語版に翻訳されたとき、almahはparthenosになった。こちらはたしかに「処女」を意味する。単純な誤訳が世界的な聖処女マリア神話を生み出し、ローマカトリックによる一種の女神「天の女王」としてのマリア崇拝につながったのだ。

マタイもルカも、イエスはベツレヘムで生まれたことにしているが、それも預言を成就させるという同じ決意からである。『旧約聖書』の預言者の一人ミカは、ユダヤ人のメシアは「ダビデの町」であるベツレヘムで生まれると預言した。「ヨハネ伝」では、イエスは両親の住んでいたナザレで生まれたとされている。しごくもっともだ。そしてヨハネは、もしイエスがほんとうにメシアなら、ナザレで生まれたことに人々が驚いていると語っている。マルコは彼の誕生についてまったく触れていない。ところがマタイとルカは二人ともミカの預言を成就させたくて、イエスの生誕地をナザレからベツレヘムに変える方法をあわてて探した。運悪く、二人が見つけたのは互いに矛盾する別々の方法だった。

　この問題に対するルカの解決策は、ローマ皇帝アウグストゥスが命じた税だった。ルカによると、この徴税にともなって人口調査があったという。ここでルカはアウグストゥスの統治期間をねじ曲げている。なにしろ、この物語にちょうど合う時期にローマで人口調査はなかったことを、現代の歴史家は理解している。まあ、それは見逃そう。人口調査で正しい人数を数えるために、誰もが「自分の町」に行かなくてはならなかった。ヨセフは実際にはナザレに住んでいたが、ルカによると、彼の「自分の町」はベツレヘムだった。なぜか？　彼はダビデ王の子孫であり、ダビデはベツレヘム出身だったからだ。ちなみに、この話そのものがばかげている。ルカ自身の説明では、ダビデはヨセフのひいが三九個つくおじいさんである。どうすれば法律は人の「自分の町」をひいが三九個つくおじいさんの生まれた町だと定義できるのか？　父方のひいが三九個つくおじいさんが何者だったのか、あなたはちょっとでも見当がつくだろうか？　エリザベス女王でさえ知っているかどうか疑わしい。ともかくルカによると、イエスがベツレヘムで生まれた理由はそれだった。彼の両親は人口調査のために、ヨセフのひいが三九個つくおじいさんの出生地にいるべく、ナザレから移動したのだ。

マタイが考えたミカの預言を成就する方法はちがっていた。彼はベツレヘムがマリアとヨセフの故郷であって、だからイエスはそこで生まれたのだとしている。マタイの問題は、そのあとどうやって彼らをナザレに行かせるか、だった。そこで彼は、冷酷なヘロデ王にベツレヘムでイエスが誕生したといううわさを聞かせた。預言された新しい「ユダヤの王」が自分を王座から引きずり下ろすことを恐れ、彼はベツレヘムにいる男の赤ん坊全員を殺すよう命じる。神はヨセフに警告するため、夢に天使を遣わして、マリアとイエスを連れてエジプトに逃げるよう命じた。たぶんあなたも、クリスマスキャロルのこんな歌詞を歌ったことがあるだろう。

そのときヘロデは恐怖に満たされ
ユダヤの王子かと叫ぶ
そして怒りに狂い

ベツレヘムの幼い坊やを皆殺し

マリアとヨセフは警告を聞き入れ、ヘロデの死後にようやくエジプトから帰ることにした。しかし彼らはベツレヘムを避けた。なぜなら神は別の夢で、ヘロデの息子アケラオの魔の手から逃れられないと警告したからだ。そのため彼らは

ナザレという町に行って住んだ。これは預言者たちによって、「彼はナザレ人《びと》と呼ばれるであろう」と言われたことが、成就するためである。

マタイのうまい解決策だ。彼はイエスというキャラクターを無事にナザレに行かせ、その過程で別の預言も首尾よく成就させたのだ。

先ほど私は、ほかの福音書の話にもどると言った。五〇篇ほどあるうちのどれかが、「マタイ伝」、「マルコ伝」、「ルカ伝」、「ヨハネ伝」とともに、正典に入っていたかもしれない。そのほとんどが、紀元一～二世紀に書かれたが、正式な福音書四巻と同様、最終的に書き記されたバージョンは、（伝言ゲームにありがちな歪曲をともなう）もっと古い口伝えの伝説を下敷きにしている。「ペテロによる福音書」、「ピリポによる福音書」、「マグダラのマリアによる福音書」、「トマスによるコプト語の福音書」、「トマスによる

イエスの幼時物語」、「エジプト人の福音書」、「イスカリオテのユダによる福音書」などがある。

なぜ正典からはずされたか、理由がわかりやすいものもある。たとえば「イスカリオテのユダによる福音書」だ。ユダはイエスの物語ではつねに極悪人である。彼がイエスを裏切って権力者に引き渡し、権力者はイエスを逮捕し、裁判にかけ、死刑に処した。「マタイ伝」によると、ユダの動機は強欲だった。裏切りによって銀貨三〇枚が手に入ったのだ。すでに見たとおり、マタイの問題は『旧約聖書』の預言に取りつかれていたことである。マタイはイエスの身に起きたことすべてを預言の成就にしたがった。そのため、強欲が動機だとされているユダも、預言に対するマタイの執着の犠牲だったように思える。いくつか証拠を挙げよう。聖書史学者のバート・アーマンから教わったものだ。

預言者ゼカリヤは銀貨三〇枚を支払われた（「ゼカリヤ書」第一一章一一節）。どうということのない偶然だが、次の節を見ると印象が変わる。

彼らはわたしの賃銀として、銀三十シケルを量った。主はわたしに言われた、「彼らによって、わたしが値積《ねづも》られたその尊い価を、宮のさいせん箱に投げ入れよ」。私は銀三十シケルを取って、これを主の宮のさいせん箱に投げ入れた。

銀貨を「投げ」入れたことを頭に入れて、「マタイ伝」の第二七章にもどろう。ユダは後悔の念にさいなまれ、銀貨三〇枚を祭司長と長老たちのところに持って行く。

そのとき、イエスを裏切ったユダは、イエスが罪に定められたのを見て後悔し、銀貨三十枚を祭司長、長老たちに返して言った、「わたしは罪のない人の血を売るようなことをして、罪を犯しました」。しかし彼らは言った、「それは、われわれの知ったことか。自分で始末するがよい」。そこで、彼は銀貨を聖所に投げ込んで出て行き、首をつって死んだ。祭司長たちは、その銀貨を拾いあげて言った。「これは血の代価だから、宮の金庫に入れるのはよくない」。そこで彼らは協議の上、外国人の墓地にするために、その金で陶器師の畑を買った。

祭司長たちは血の代価を受け取りたくなかったのだ。そこで代わりに、その三〇枚の銀貨を使って畑を買った……「陶器師の畑」を。例によって、マタイはまた別の預言も成就させている。今回はエレミヤだ。

こうして預言者エレミヤによって言われた言葉が、成就したのである。すなわち、「彼らは、値をつけられたもの、すなわち、イスラエルの子らが値をつけたものの代価、銀貨三十を取って、主がお命じになったように、陶器師の畑の代価として、その金を与えた」。

「イスカリオテのユダによる福音書」の再発見は、二〇世紀で最も刺激的な考古学上の発見のひとつだった。そのような福音書が書かれたことはすでに知られていた。初期の教父たちが話に出して非難していたからだ。しかし、それはどこかに行ってしまった、たぶん異端として破棄されたのだ、と誰もが考えていた。ところが一九七八年、一七〇〇年あまり洞窟に埋まっていた文書のなかから出てきた。エジプトの農民が偶然発見したのだ。そうした発見ではよくあることだが、この貴重な文書がしかるべき学者の手に届くまでにしばらくかかり、そのあいだに劣化が進んだ。放射性炭素による年代測定法で、紀元二八〇年の前後六〇年のものであることがわかっている。*

再発見された文書は、エジプトの古語であるコプト語で書かれている。しかしそれは、もっと古いギリシア語の原本の翻訳と考えられる。未発見のその原本はおそらく、正典の福音書四巻とだいたい同じくらい古い。そしてその四巻と同じように、書名に名前のある人物とはちがう誰かによって書かれたものである。だから著者はユダ本人ではないだろう。

＊　放射性炭素による年代測定は、考古学の標本の年代を測定する巧みな科学的手法である。その仕組みについては『ドーキンス博士が教える「世界の秘密」』（大田直子訳、早川書房）で説明している。

この書はほとんどがユダとイエスの会話になっている。悪名高い裏切りの物語も綴られているが、ユダの視点からになっていて、彼に対する非難はほとんど入っていない。この福音書によると、一二使徒のうちユダだけが、イエスの使命を真に理解していたようだ。第4章で見るように、キリスト教徒はイエスが逮捕されて殺されるのは神の計画だったと信じている。神が人間の罪を赦すためだ。ユダの「裏切り」は、じつはその計画の実現を助けていた。彼はイエスのために、そして神のために尽くしていたのだ。この話が変な感じに思えるなら(実際そう思えるが)、その違和感の直接の原因は、イエスの死は神が計画した必要な犠牲だったというキリスト教の中心思想にある。ローマ会議が「ユダによる福音書」を正典に入れたくなかった理由はわかる。

理由はちがうが、「トマスによるイエスの幼時物語」を入れたがらなかったのも意外ではない。例によって誰が書いたかはわからない。うわさに反して、書いたのは「疑い深いトマス」ではなかった。彼はイエスのよみがえりのあと、イエスがほんとうに生きている証拠を要求した弟子である(彼は科学者の守護聖人になるべきかもしれない)。この福音書には、正式な福音書ではまったくと言っていいほど語られていない、イエスの子ども時代に関する驚くような物語が綴られている。トマスの説明によると、イエスはいたずら好きの子どもで、自分の魔法の力を堂々と見せていた。五歳のとき、小川のそばで遊んでいたイエスは小川から泥を取り、そこから一二羽の生きたスズメをつくり出したのだ。

スズメは一〇〇〇億個以上の細胞でできている。神経細胞、筋細胞、肝細胞、血液細胞、骨細胞、ほかにも何百種類もの細胞がある。こうした細胞のひとつ残らずが、びっくりするほど複雑なミニチュアの機械である。二〇〇〇枚あるスズメの羽それぞれが、驚くべき繊細な構造をしている。そうした細かいことをイエスの時代には誰も知らなかった。それでも、すべてを泥から一気につくるのはすばらしい驚異の妙技なのだから、大人たちはかなり感心しただろうと思える。ところがそうではなかった。ヨセフはイエスを叱ることを優先させた。ユダヤの法律がいかなる仕事も禁じる安息日に、イエスがそれをしたからだ。現代のユダヤ人にも、安息日には照明のスイッチを押すことさえしない人もいる。代わりにやってくれるタイマースイッチをもっている。安息日にはエレベーターを各階に止めるアパートもある――ボタンを押すという「仕事」をしなくてすむのだ。

叱られたイエスは、手をたたいて言った。「お行き」。スズメたちはさえずりながら、素直に飛び去った。

「イエスの幼時物語」によると、幼いイエスは自分の魔法の力を使って、あまりかわいげのないこともしている。あるとき彼が村を歩いていると、別の子どもが走ってきて、彼の肩にぶつかった。イエスは腹を立てて言った。「きみはここで終わりだ」。その夜、少年は倒れて死んだ。もっともなことだが、悲しみに暮れる両親はヨセフに文句をつけ、イエスが魔法の力を使うのを監督するように言った。彼らはわきまえるべきだった。イエスはすぐさま彼らを失明させたのだ。イエスがある少年にむかついて呪ったので、少年の体が完全に干からびたこともあった。

悪いことばかりではない。遊び友だちの一人が屋根から落ちて死んだとき、イエスは彼を生き返らせた。同じような方法で大勢の人々を救い、うっかり自分の足を斧でたたき切ってしまった男性を治したこともある。ある日、彼は大工だった自分の父親を手伝っていて、一本の木材が短すぎるとわかった。そう、イエスはそんなささいな問題で物事がだめになるのを許さなかった。魔法の呪文をひとつ唱えて、あっさり木材を長くしたのだ。

「トマスによるイエスの幼時物語」に書かれているすばらしい奇跡が、実際に起こったと思う人はいない。イエスは泥からスズメをつくっていないし、ぶつかってきた少年を殺したり、少年の両親を失明させたりしていないし、大工の仕事場で木材を伸ばしもしていない。それではなぜ人は、正式な正典である福音書で述べられている、同じくらい突飛な奇跡を信じるのか？　水をワインに変えたり、水の上を歩いたり、死からよみがえったり。もし「イエスの幼時物語」が正典に入っていたら、スズメの奇跡や木材を伸ばす奇跡を信じていただろうか？　もし信じないなら、なぜ？　三八二年にローマに集まった主教と神学者によって、幸運にも正典に選ばれた四篇の福音書は、何がそんなに特別なのか？　なにゆえのダブルスタンダードなのか？

二つの奇跡を比べる

もっと明白なダブルスタンダードの例を挙げよう。マタイの話では、イエスが十字架で息を引き取った瞬間、エルサレムの神殿の幕が真っぷたつに裂け、地震が起き、墓が開いて死者が街を歩いたという。つまり、福音書によると、イエスのよみがえりは珍しいことではなかった。イエスがよみがえるわずか三日前、大勢の人々が墓から飛び出して、エルサレムの町を歩いていたのだ。キリスト教徒はほんとうにそれを信じているのか？　もし信じないなら、なぜか？　イエス自身のよみがえりを信じる理由があるなら、大勢の人々のよみがえりを信じる理由も同じようにある（または、もっとはっきり言えば、同じように、ない）。ありそうもない話のうち、どれを信じてどれを無視するか、信者たちはどうやって決めるのだろう？

前に言ったとおり、すべてではないが大半の歴史家は、イエスが実在したと考えている。しかし、そのことにたいした意味はない。「イエス」はヘブライ語のヨシュアまたはイェシュアという名前のローマ語形である。ありふれた名前であり、さすらう伝道師もありふれていた。だから、イェシュアというさすらいの伝道師はたぶんいただろう。大勢いたかもしれない。信じがたいのは、そのうちの誰か一人でも水をワインに（あるいは泥をスズメに）変え、水の上を歩き（あるいは木材を伸ばし）、処女から生まれ、死からよみがえったことだ。もしあなたがそんなことを信じたいなら、現在あるものよりもっとずっと確かな証拠を探すべきだろう。天文学者のカール・セーガンいわく、「途方もない主張には途方もない証拠が必要だ」。彼はフランスの数学者ラプラスの「途方もない主張の証拠の重さは、そのおかしさに比例しなくてはならない」という言葉から、ヒントをもらったのかもしれない。

イエスというさすらいの伝道師が実在したという主張は、途方もない主張ではない。その証拠はほんのわずかだが、それは「比例している」。小さい主張に小さい証拠だ。彼は実在したのだろう。しかし彼の母親が処女で、彼が墓からよみがえったという主張は、実際、とんでもなく途方もない。だから証拠は十分でないと困る。でもそうではない。

一八世紀の偉大なスコットランドの哲学者デイヴィッド・ヒュームが奇跡について言っていることがあり、重要なのでそれについて話したい。私自身の言葉で話そうと思う。誰かが奇跡――たとえば、イエスが墓からよみがえったという奇跡や、少年イエスが泥をスズメに変えたという奇跡――を見たと主張している場合、二つの可能性がある。

可能性1　それが実際に起こった。

可能性2　目撃者が見まちがっている、うそをついている、幻覚を見ている、話が誤って報告された、手品だった、等々。

あなたはこう言うかもしれない。「この目撃者はとても信頼できて、私は命を賭けて彼を信じるし、ほかにも目撃者は大勢いる。彼がうそをついているなら、それこそ奇跡であって、そうでなければ見まちがったのだ」。しかしヒュームなら、こう切り返すだろう。それはそれでいいが、たとえ可能性2は奇跡だと思っても、可能性1のほうが奇跡的だときっと認めるはずだ。二つの可能性の選択肢があるなら、つねに奇跡度が低いほうを選ぼう。

心底びっくりするような「マジシャン」、偉大な奇術師を見たことがあるだろうか？　たとえばダレン・ブラウン、またはジェイミー・イアン・スイス、あるいはデイヴィッド・コッパーフィールド、あるいはジェームズ・ランディ、それともペン・アンド・テラーのような。摩訶《まか》不思議なことが起こり、あなたは心のなかで叫ぶ。「これは奇跡にちがいない、これが超自然現象でないはずがない」。しかしそのあと、正直な奇術師なら穏やかに優しくこう言うだろう。「いいえ、これはただのトリックです。種明かしはできません。もし明かしたらマジック界から追放されてしまいます。でも、ただのトリックだと断言します」

ちなみに、奇術師は正直とはかぎらない。いわゆる「念力」でスプーンを曲げてみせてから、同じ念力で石油を見つけるにはどこを掘ればいいか教えられると石油会社を口車に乗せることで、大金を稼ぐ奇術師もいる。そのようなペテン師は優雅な暮らしをしている。

なぜなら、彼らのカモは奇跡を信じたがっているからだ。

どういうトリックかわかりやすい場合もある。念力やテレパシーなどの「驚くべき」妙技を披露する、イギリスのテレビ番組があった。実際には、ごくふつうの奇術師が、デイヴィッド・フロストというテレビ司会者をだましているだけだ。デイヴィッド・フロストはかなりばかなのか、または——もっと可能性が高いのは——番組の視聴率のためにばかなふりをしていたのだ。イスラエルから来た親子がいて、息子は父親の考えをテレパシーで読むと主張した。父親が秘密の数字を見て、ステージの反対側にいる息子に「思考の波」を送り、息子は正しく「彼の考えを読む」。父親は大げさに集中するふりをしたあと、「わかったかい?」などと叫ぶ。すると息子が「五だ!」と叫ぶ。観客は愚かな司会者にそそのかされて、割れんばかりの拍手をする。「すばらしい! 摩訶不思議! まさにミステリアス! テレパシーが証明された!」

おわかりだろうか? ヒントをあげよう。秘密の数字が八だったら、父親は「おまえ、できると思うかい?」と叫んでいたかもしれない。秘密の数字が三なら、「わかった?」。数字が四だったら、「もうわかったかい?」。でも私が言いたいのは、たとえ奇術師が(この親子チームとちがって)真に優秀な奇術師で、あなたにはどういうトリックなのか見当がつかなかったとしても、やはりトリックなのだということである。「奇跡にちがいない」と訴える理由はないのだ。ヒューム流に考えてみてほしい。

有名な奇術のトリックに、ヒュームの論理的思考を当てはめてみよう。ただし「可能性」を「奇跡」に置き換える。

奇跡1　奇術師はほんとうにチェーンソーで女性を半分に切った。ペン・アンド・テラーはほんとうに互いの拳銃から発射される弾丸を歯で受け止めた。デイヴィッド・コッパーフィールドはほんとうにエッフェル塔を消した。ジェームズ・ランディはほんとうに患者の腹に素手を入れ、内臓を引きずり出した。

奇跡2　あなたは奇術師の動きをすべて注意深く見守っていたので、何かを見逃すのは「奇跡的」に思えたとしても、あなたは見まちがった。

いくら反対したくても、奇跡2のほうが奇跡度は低いことに賛成せざるをえないだろう。あなたは小さいほうの奇跡を選んで、ヒュームとともに、奇跡1は起こらなかったと結論を下さなくてはならない。あなたはだまされたのだ。

本物の奇跡とされる奇跡1が、大勢の目撃者によって裏づけられているように思える場合もある。いちばん有名な例は「ファティマの聖母出現」かもしれない。

一九一七年、ポルトガルのファティマで、三人の子どもが聖母マリアの幻を見たと言った。そのうちの一人、ルシアの話によると、マリアが話しかけてきて約束したという。毎月一三日に同じ場所にもどってきて、一〇月一三日には自分が何者かを証明するために奇跡を行なう、と。うわさはポルトガル中に広まった。一〇月一三日、七万人もの大群衆が、奇跡を目撃しようと集まった。そして目撃者によると、実際に奇跡は起こった。聖母マリアはルシア（だけ）に現れ、彼女は興奮した様子で太陽を指さした。すると――

太陽が天から身をほどき、おののく群衆の上に音を立てて落ちてくるように見えた。……火の玉が落下して彼らを破滅させるように見えた瞬間、奇跡は終わり、太陽は空のいつもの場所にもどって、これまでどおり穏やかに輝いていた。

ローマカトリック教徒はこの話を真剣に受け止めた（いまだにそうしている人が大勢いる）。そして公認の奇跡だと宣言する。教皇ヨハネ・パウロ二世は、一九八一年に暗殺未遂を生き延び、「ファティマの聖母」に救われたのだと考えた。聖母が「弾丸を導いて」彼を殺さないようにしたというのだ。ただの「聖母」ではなく、具体的に「ファティマの聖母」だ。つまり、カトリック教徒は大勢の異なる「聖母」を信じているということなのか？　第1章の私の話よりも、さらに多神教徒なのか？　たった一人のマリアではなく、大勢のマリアだ。どこかの丘や洞窟や洞穴に出現するごとに、別のマリアがいる。

二〇一七年、ローマカトリック教会ニューヨーク教区補佐司教、ドミニク・ラゴネグロ司教は、説教のなかでファティマの目撃者だったおばの話を引用している。彼女の説明によると、太陽は――

昇ったり沈んだり、行ったり来たり、まるで踊っているかのようだった。「聖母様のほかに誰が太陽を踊らせることができるでしょう」と［ラゴネグロ司教は］笑った。しかし次に太陽は大きくなり、「地球に近づき始めました」と司教は続ける。「おばの話では『太陽からの光でみんなの服が明るい黄色になったように見えた』といいます。数分間、地球に向かって落ちつづけたのです」と彼女の話を再現した。「そして止まって」、その軌道にもどった、と。

その「軌道」？　それはどんな「軌道」なのか？　それに「数分間、地球に向かって落ちつづけた」。数分間！　このケースでヒュームをやろう。

奇跡１　数分間にわたって太陽が実際に空を動き回り、目に見えて群衆に向かって動き、音を立てて落ちてこようとした。

奇跡２　七万人の目撃者が見まちがったか、うそをついたか、話がまちがって報告された。

奇跡2は、ほんとうに奇跡に思えないだろうか？　七万人全員が同じ幻を同時に見たのか？　全員が同じうそをついたのか？　たしかに、それは途方もない奇跡では？　そう思える。でも、もう一方の奇跡1について考えてほしい。もし太陽が現実に動いたのなら、ポルトガルのひとつの村のはずれに集まった人だけでなく、昼間の半球にいる人みんなが見たのでは？　そしてもし現実に動いたのなら（または太陽が動いたと思えるように地球が動いたのなら）、惑星すべてではないにしても、地球は破滅していただろう。とくに、「数分間」も「落ちて」いたら！

だから私たちはヒュームにしたがって、小さいほうの奇跡を選び、有名なファティマの奇跡は起こらなかったと結論を下す。

じつは私は奇跡2が実際より奇跡的に思えるように、精いっぱい努力した。ほんとうに七万人がそこにいたのか？　そんな大勢がいたという歴史的証拠は何だろう？　現代では、そういう数字は誇張されることが多い。ドナルド・トランプは大統領就任式に一五〇万人が出席したと主張している。証拠写真はそれがかなりの誇張であることを示している。たとえ一九一七年一〇月に七万人がファティマに集まったとしても、太陽が動くのを見たと実際に主張した人はどれだけいたのか？　ひょっとするとほんの数人だけで、数字は伝言ゲーム効果でつり上げられたのかもしれない。ルシアに言われたとおり太陽を見つめたら（ちなみにとても眼に悪いのでやってはいけない）、太陽がほんのちょっと動く幻覚を起こした可能性は高い。その動きの大きさも、それを見たという人の数と同様、伝言ゲーム効果で誇張されたかもしれない。

しかし重要なのは、そうした事柄に思い悩む必要はないことだ。たとえ七万の人々が、太陽が動いて落ちてくるのを見たと実際に主張したとしても、現実に動いていないことは確実にわかる。なにしろ地球は破滅していないし、ファティマ以外でそれを見た人が誰もいないのだ。奇跡が言葉どおりに起きていないことにまちがいはなく、それを公認するということは、ローマカトリック教会に良識が欠けていたと示すのみだ。

ところで、同様の奇跡は「ヨシュア記」にも報告されている。ひょっとすると、それがきっかけでルシアは彼女の奇跡を考え出したのかもしれない。イスラエルの指導者ヨシュアは、例によってライバル部族と戦っていて、勝利を確実にするためにもう少し時間が必要だった。どうすればいいか？　答えは明白！　当時は神と直接話ができた。ヨシュアは、空で太陽がじっと動かないようにすることによって日暮れを先延ばしにしてくれと、神に頼むだけでいい。神は頼みを聞き入れ、太陽が止まったので、ヨシュアは必要な特別長い一日を手に入れた。当然、この奇跡は実際に起こっていない。起こったと考えるまじめな学者はいない。でも、聖書の一言一句は文字どおり事実だと信じたがる原理主義キリスト教徒がいる。そしてヨシュアの長い一日の奇跡を事実にする方法を見つけようと、必死にもがいている原理主義者のウェブサイトも見つかる。

「ヨシュア記」はもちろん『旧約聖書』に入っている。次は『旧約聖書』に目を向けて、その物語が実話かどうかを問うべきだ。

第3章　神話とその始まり

第2章ではおもに『新約聖書』について話した。『旧約聖書』よりも新しい時代を扱っているので、聖書のなかでは歴史である見込みが最も高い。私は『旧約聖書』にはあまり時間を割かないつもりだ。あいまいな神話と伝説の領域に踏み込むことになり、聖書学者も歴史としては真剣に取り上げていない。それでも神話自体は興味深く重要なので、この章では『旧約聖書』を出発点として、神話とその始まりについて探ろうと思う。

アブラハムはユダヤ民族の父祖であり、現代世界における三大一神教——ユダヤ教、キリスト教、イスラム教——の創始者だった。でも、彼は実在したのか？　アキレウスやヘ

ラクレスの場合、あるいはロビン・フッドやアーサー王の場合と同じように、知ることは不可能であり、実在したと考える確かな理由はない。一方、彼の存在は、途方もない証拠を必要とする途方もない主張ではない。ヨシュアの長い日やイエスのよみがえり、あるいは大魚の腹のなかで三日間過ごしたヨナとちがって、アブラハムが実在したかどうかは、たいしたことではない。どちらにしても、とにかく証拠は何もない。やはりユダヤの歴史の偉大なヒーローであるダビデ王も同じだ。ダビデは聖書のほかには、遺物にも文献にも痕跡を残していない。このことから、もし彼が存在したのだとしたら、伝説や歌になるような偉大な王ではなく、取るに足らない地方の首長だったと思われる。

歌といえば、「ソロモンの歌」（「雅歌《がか》」とも呼ばれるが、ソロモン王が書いたのでないことは確かなので、こちらのほうが良いタイトルだ）は、聖書のなかで唯一、男女の恋を綴った書である。ローマ会議が聖典に入れたのはとても意外だ。これについて、かなり面白い点がある。キリスト教の聖書として最も有名な英語訳『欽定訳聖書』には、各ページの上部に注釈行がある。「雅歌」は男女の性愛のみごとな詩的表現だ。でも、そのページの上部に、キリスト教徒はどういう注釈をつけているか？「キリストとその教会の相互愛」。これは傑作！それに、いかにも神学者らしい考え方だ。現実に言われていることとは無視して、すべてが象徴やたとえのつもりだということにしよう、というわけだ。『欽定訳聖書』にはすばらしい英語の文章がある。「伝道の書」は、詩が暗くて厭世《えんせい》的だが、少なくとも「雅歌」と同じくらい良い。聖書を読まない人にも、「伝道の書」と「雅歌」の二巻はお薦めする。ただし、必ず欽定訳版を読むこと。現代英語への翻訳はうまくいかない。詩として、という意味だ。原文のヘブライ語が何を言っているのか、はっきり知りたいなら、現代語訳はたしかに役に立つ。そしてそのおかげで、宗教の教師があなたに理解してほしくないことを、あなたは理解できるようになりそうだ！　私が言っていることの意味がわからなければ、第4章まで待ってほしい。

お気に入りのこの二巻、「伝道の書」と「雅歌」は、歴史書を装うことさえしていない。『旧約聖書』のほかの書、たとえば「創世記」、「出エジプト記」、「ヨシュア記」、「士師記」、「サムエル記」、「歴代志」、「列王記」は、それを装っている。「創世記」、「出エジプト記」、「レビ記」、「民数記」、「申命記」は、キリスト教ではペンタテューク、ユダヤ教ではトーラーと呼ばれる。伝統的にモーセが書いたと考えられているが、そう考えるまじめな学者はいない。「ロビン・フッドと愉快な仲間たち」や「アーサー王と円卓の騎士」と同様、ペンタテュークにも、わずかに事実にもとづく下敷きがあるかもしれないが、史実と呼べるものはない。

ユダヤ民族にとって重要な祖先神話は、エジプト捕囚と最終的な約束の地への脱出である。それはイスラエルの地、「乳と蜜の流れる土地」であり、神がユダヤ人のものだと言い、手に入れるためにすでに住んでいた部族と戦った土地である。聖書はこの伝説に固執している。そして彼らをエジプトから約束の地へと導いたとされる指導者がモーセ、聖書の最初の五巻を著したと信じられているのと同じモーセだった。

一国の国民全員が奴隷にされ、数世代後に彼らが大挙して移住したという重大な出来事は、考古学的記録や文字に記されたエジプト史に痕跡を残したはずだ、とあなたは考えるだろう。だが残念ながら、どちらの証拠もない。ユダヤ人のエジプト捕囚のようなことが起きた証拠はない。まったく起きていない可能性が高いのに、その伝説はユダヤ文化に深く焼きついている。聖書が神やモーセについて述べるとき、その名にはたいてい「あなたがたをエジプトの地から連れ出した」というような形容がともなう。

エジプトからの脱出とされているものを、ユダヤ人は毎年過越《すぎこし》の祭でしのぶ。フィクションであれ事実であれ、けっして美しい故事ではない。神はエジプトの王ファラオ〔訳注　ヘブライ語ではパロ〕にイスラエル人奴隷を解放させたかった。神の力をもってすれば、奇跡によってファラオの心を変えることもできると思えるかもしれない。ところがこれから見ていくように、神は意図的に逆のことをした。でもまずは、エジプトの人々に一〇の災いをもたらすことによって、ファラオにプレッシャーをかけた。災いは起こるたびに悲惨さを増し、最終的にファラオはあきらめて奴隷を解放した。なかにはカエルの災い、腫れ物の災い、イナゴの災い、三日間の暗闇の災いなどがあった。決め手になったのは最後の災いで、過越の祭が記念するのはその災いである。神はエジプトのあらゆる家庭の初《うい》子《ご》を皆殺しにしたのだ。ただしユダヤ人の家を「過ぎ越す」ことで、彼らの子どもを守った。死の天使が連続子殺しのときにどの家を避ければいいかわかるように、イスラエル人は子羊の血を戸口の柱に塗るよう命じられた。いずれにせよ全知全能の神なら、どの家がそれかを知っていたのではないかと思われる。しかしひょっとすると著者は、子羊の血が物語に彩りを添えると考えたのかもしれない。ともかく、これがいまだに世界中のユダヤ人が祝う伝説の過越だ。

実際には、ファラオはもっと早い時点で降参することもできたのであり、そうしていれば初子が全員救われていたので、そのほうがよかっただろう。しかしエジプト人に誰がボスかを示す「しるし」として、災いをたくさんもたらすことができるように、神はわざと魔法の力を使ってファラオに意地を張らせた。聖書が起こったと語っていることはこうだ。神はモーセに次のように言っている。

> わたしはパロの心をかたくなにするので、わたしのしるしと不思議をエジプトの国に多く行っても、パロはあなたがたの言うことを聞かないであろう。それでわたしは手をエジプトの上に加え、大いなるさばきをくだして、わたしの軍団、わたしの民イスラエルの人々を、エジプトの国から導き出すであろう。（「出エジプト記」第七章三〜四節）

かわいそうなファラオ、神はとくに過越の計略を実行できるよう、イスラエル人解放を拒ませるために、彼の「心をかたくなにした」のだ。しかも神はモーセに前もって、ファラオは拒むだろうと話している。その結果、エジプト人の哀れな罪のない初子たちが皆殺しにされた。神の仕業だ。先ほど言ったように、これは美しい故事ではなく、現実に起こらなかったことに感謝したい。

エジプト捕囚とされているものよりはるかに信憑性《しんぴょう》があるのは、ユダヤ人のバビロン捕囚である。これについては証拠がたくさんある。紀元前六〇五年、バビロニア王のネブカドネザルがエルサレムを包囲し、多くのユダヤ人を連れ去った。六〇年後、バビロニア自体がペルシアのキュロス大王に征服される。キュロスはユダヤ人に故郷へ帰ることを許し、長年のあいだにそうした者もいた。『旧約聖書』の大半が書かれたのは、バビロン捕囚のころである。だから、モーセやダビデ、ノアやアダムの物語は、あったとされていることをじかに知っている人によって書かれたのだと考えている人は、考え直してほしい。『旧約聖書』の大部分は紀元前六〇〇年から同五〇〇年のあいだに書かれており、説明しているとされる出来事の何世紀もあとである。

『旧約聖書』が実際に書かれた時期についての手がかりは、文章中の時代錯誤に見いだせる。時代錯誤とは、時代に合っていないもののことだ。たとえば、古代ローマを舞台にした時代劇ドラマで、役者の一人が腕時計をはずすのを忘れていると、時代錯誤になる。そして、「創世記」のなかに時代錯誤の好例がある。「創世記」にはアブラハムがラクダを所有していたと書かれている。しかし考古学の証拠によると、ラクダが家畜化されたのは、アブラハムが死んだとされる時期の何世紀もあとのことだ。ラクダはバビロン捕囚のころに家畜化されたのであり、実際に「創世記」が書かれたのはその時期なのだ。

では、「創世記」冒頭の神話について、私たちには何が言えるのだろう？　アダムとエバは？　ノアの箱舟は？　ノアの物語はバビロニアの神話、ウトナピシュティムの伝説がもとになっている――「創世記」はバビロン捕囚中に書かれたので、意外ではない。物語はギルガメシュ叙事詩に出てくる。不死を求めていた伝説のシュメール王ギルガメシュが、大洪水についてウトナピシュティム自身の口から聞いた経緯が語られているのだ。バビロニア人もシュメール人と同様に多神教徒だった。彼らの叙事詩によると、神々は大洪水で人間をみな溺れさせることにした。しかし水の神エア（シュメール名はエンキ）は、ウトナピシュティムに大きな船をつくるよう警告した。あとの話はノア版とほとんど同じだ。箱舟の詳細と寸法が細かく特定され、あらゆる種類の動物が船に乗せられ、水が引いているかを確認するために、ハト、ツバメ、そしてカラスが放たれ、箱舟は山の頂上に乗り上げ、という具合だ。別の古代メソポタミア版の洪水神話では、ノアの役をアトラハシスという登場人物が演じていて、神々が人類を溺れさせたがった理由は、人間があまりに騒がしかったからだ。細部はいろいろとちがっているが、物語は基本的に似ている。

ギリシア神話にも同類の話がある。神々の王ゼウスが激怒して、人類を殺すことにした。そして世界を水浸しにして、全員を溺れさせた。全員といっても、一組の夫婦、デウカリオーンと妻のピュラーは例外だった。彼らは浮く箱に入って難を逃れたのだ。箱はやがてパルナッソス山に乗り上げた。同じように一家族だけが生き残る大洪水の神話は世界中にある。古代メキシコのアステカ族の伝説では、唯一生き残ったコクスコクスとその妻は、中空の木の幹に乗って漂い、最終的にはノアと同じように山上に漂着し、世界中に再び子孫を増やした。

おめでたいことにこの物語がバビロンの多神教にルーツがあることも知らず、ケンタッキー州の聖書信仰派のキリスト教徒たちは（非課税の）資金を集め、人々が有料で見物できる巨大な木製のノアの箱舟をつくった。彼らはこの物語についてもうちょっと考えたほうがよかったと、あなたも思うだろう。もしノアの物語が事実なら、各種の動物が見つかる場所は、洪水が治まったときにようやく箱舟が乗り上げた場所――トルコのアララト山――から広がるパターンを示すはずだ。ところが実際には、各大陸と島にそれぞれ固有の動物がいることがわかっている。オーストラリアと南アメリカとニューギニアの有袋類、南アメリカのアリクイとナマケモノ、マダガスカルのキツネザル。ケンタッキー州のあの人たちはどう考えていたのだろう？　カンガルーの夫婦は箱舟から飛び出して、途中で子を産むこともなく、はるばるオーストラリアまで跳んでいったと想像したのか？　ウォンバットの夫婦、タスマニアオオカミの夫婦、タスマニアデビルの夫婦、ユビムスビの夫婦、ビルビーの夫婦、フクロモグラの夫婦など、オセアニアでしか見つからないたくさんの有袋類も同じなのか。キツネザル科の夫婦——一〇一組すべて——はほかのどこにも寄らずに、マダガスカルへまっしぐらに進んだとは！　それにナマケモノの夫婦は、はるばる南アメリカまで——あの、ひどくゆっくりした歩みで——這っていった？　実際には、もちろん動物たちは進化が事実ならいるはずの場所にいる。これはチャールズ・ダーウィンが重要な証拠として用いた現象のひとつだ。有袋類の祖先は何千万年にわたってオーストラリアで独自に進化し、数多くのさまざまな有袋類——カンガルー、コアラ、オポッサム、クアッカワラビー、クスクス等々——に枝分かれした。別の哺乳動物群は南アメリカで進化し、何千万年のあいだにナマケモノ、アリクイ、アルマジロなどに枝分かれした。また別の一群はアフリカで進化し、マダガスカルではキツネザル科をすべて含めた別の一群が進化し、という具合だ。

　アダムとエバの話もノアの箱舟の物語も史実ではないし、史実だと考える学識ある神学者はいない。世界中に無数にあるそのような物語と同様、「神話」なのだ。神話にはまったく悪いところはない。美しいものもあるし、ほとんどが興味深いが、史実ではない。ところが残念ながら、史実だと考える無知な人たちが、とくにアメリカとイスラム世界に大勢いる。どんな民族にも神話はある。私がいま話した二つはたまたまユダヤの神話であって、ユダヤ教とキリスト教とイスラム教の正典に収められたというだけの理由で、世界中で非常によく知られるようになったのだ。

古代の神話がどうして始まったのか、たいがいはあいまいだ。ひょっとすると、もともとはアキレウスやロビン・フッドのような地元の英雄による大胆な行為の話であって、それは事実だったかもしれない。たぶん、想像力豊かな語り部が、たき火の周りに集まった人々を作り話で楽しませたのだろう。かつて起こった出来事を脚色した話か、船乗りシンドバッドの話のような、ただ楽しむためのフィクションだったかもしれない。そのような語り部は、聴衆がよく知っている昔の神話の登場人物を使った可能性がある。ヘラクレス、アキレウス、アポロ、ゼウス、といった名前だ。現代で言えばブレア・ラビット〔訳注　ディズニーキャラクターにもなっている架空のウサギ〕か、スーパーマンか、スパイダーマンのような感じだ。さらに、語り部は自分の物語を、娯楽のための純粋なフィクションだとは思っていなかったかもしれない。イエスによる良きサマリア人の寓話やイソップ物語のような、道徳的な話のつもりだった可能性もある。

神話にはたいてい夢のようなところがあるので、物語を最初に考えた人は夢を詳しく説明していたのかもしれない。歴史をとおして、多くの人々が夢には意味があると信じてきた。夢は未来を予言すると考えられてきたのだ。オーストラリア先住民の神話体系は、はるか昔の謎めいた黎明時代までその起源をさかのぼり、その時代を彼らはドリームタイムと呼んでいる。

神話はすみやかに生まれる

物語の始まりが、事実、フィクション、寓話、あるいは夢、どれであったにせよ、何世代にもわたって何度も繰り返されるにつれ、伝言ゲーム効果によって変化することになる。気高い行ないが誇張され、最終的には超人レベルにまでなる。名前が変わることもある。たとえば、ギルガメシュ叙事詩のウトナピシュティムという人物は、ヘブライ語版ではノアになった。ありとあらゆる細部が変わる。代々の語り部が物語を「改善」して、より面白くするために細部を変えるのだ。あるいは、これまで信じられてきたことや希望的観測に合うように変える。または、話のなかで起こったことを、すでに広く愛されているキャラクターにありそうなことに変える。そのため、物語がついに書き記されるころには、最初の物語はほとんど原形をとどめない。神話になっているのだ。

神話がどれだけ急速に発展するかは、実際に何があったかを確認できる、現代に誕生した神話という興味深い事例からわかる。生きているエルヴィス・プレスリーが目撃されたという神話がたくさんあることを思うと、イエスのよみがえりの物語について考え直さずにはいられないだろう。

私が気に入っている現代の神話は、太平洋のニューギニアおよびメラネシア諸島の「カーゴカルト（積荷信仰）」だ。第二次世界大戦中、多くの島々は日本軍、アメリカ軍、イギリス軍、またはオーストラリア軍に占領された。こうした前哨地には、食料、冷蔵庫、ラジオ、電話、車などの物資が豊富に供給された。似たようなことは一九世紀以降、植民地統治者や宣教師たちによって行なわれていた。しかし戦時に届く物資の量は、とりわけ島民たちを魅了した。外国人が作物を育てたり、車や冷蔵庫をつくったり、何かしら実際的なことをしているところはまったく目撃されていない。それなのに、そうしたすばらしい品物が空から落ちてきて、届きつづける。大型貨物機で運ばれるので、戦時に文字どおり空から降ってくるのだ。島民たちにしてみれば、そのすてきな貨物はすべて神から、あるいは（よく神として崇拝されていた）先祖から、もたらされるにちがいない。そして侵略者たちは物資を手に入れるために実際的な仕事をまったくしていないのだから、彼らが現にやっていることは宗教的儀式にちがいない。その儀式は積荷の神を喜ばせ、もっとたくさんの積荷を天から降らせてくれるように祈るためにちがいない。そこで島民たちは儀式をまねして、積荷の神を喜ばせようとした。

どうやってやったのか？　明らかに空港はなんらかの宗教的な聖地であるにちがいない。なにしろ、そこに貨物機が集まっている。そこで島民たちは、森林を開拓した土地に自分たちの「空港」をつくることにした。管制塔まがい、電波塔まがい、滑走路まがいを備え、飛行機がいまで駐まっている。戦後、前哨基地がなくなり、積荷が空から降ってこなくなると、島民たちは「再来」を望んだ。そして積荷の神を喜ばせ、失われた輝かしい豊かさの時代を復活させようと、ますます努力した。

カーゴカルトは、互いに遠く離れたたくさんの島で別々に何度も生まれている。いまだに続いているものもある。タンナ島（バヌアツ共和国）では、同様のカルトである「ジョン・フラム」信仰がいまだに存在する。ジョン・フラムは伝説の救世主のような人物で、いつの日か自分の民を助けるためにもどってくる、と島民に信じられている。まるでイエスである。その名前は「ジョン・フロム・アメリカ（アメリカから来たジョン）」と呼ばれるアメリカ兵士に由来するようだ（アメリカ英語の「フロム」は「フラム」のように聞こえ、「カム（来る）」と韻を踏んでいる）。「トム・ネイヴィー」を崇拝するカルトもある。どちらの場合も、その名前は昔の部族神に由来する人物に与えられたのかもしれない――「ウトナピシュティム」が「ノア」になったように。

また別の、やはりタンナ島に存在するカルトは、イギリスのフィリップ王配《おうはい》を神としてあがめている。この場合は厳密には積荷ではなく、背の高いハンサムな海軍将校だ。白い制服に身を包んだ姿はまばゆいばかりで、あまりに神々しいため、行く先々で群衆から歓声を送られた。伝言ゲームプロセスを始動させるには、これで十分だったようだ。フィリップ王配神話は彼が島を訪問した一九七四年以降発展し、二〇一八年現在、まだ彼の再来を待ち望んでいる島民もいる〔口絵の図1参照〕。

こうした現代のカルトから、神話がどれだけ容易に生まれうるかがよくわかる。あなたもモンティ・パイソンの映画『ライフ・オブ・ブライアン』を見たことがあるのでは？　主人公のブライアンは、不運にも救世主とまちがえられる。熱狂的な群衆から逃れようとして、彼はひょうたんを落とし、片方のサンダルもなくしてしまう。するとすぐさま崇拝者たちは、二つのライバル集団、つまり「分派」に分裂する。一方の集団は聖なるサンダルをあがめ、他方は聖なるひょうたんをあがめる。チャンスがあれば、ぜひこの映画を見てほしい。じつに面白いし、宗教がどうして始まるかを完璧に風刺している。

私はデイヴィッド・アッテンボロー〔訳注　イギリスの動物学者でドキュメンタリー番組の製作を手がける〕のファンだが（きっとみんながファンだ）、彼はタンナ島でサムというジョン・フラムの崇拝者と交わした会話について話している。彼はサムに、一九年もたったのにジョン・フラムの再来はまだ起こっていないことを指摘した。

サムは地面から目を上げて私を見た。「あんたがたが二〇〇〇年も現れないイエス・キリストを待てるなら、おれはジョンを一九年以上待てるさ」

サムは核心を突いている（ただし、デイヴィッド・アッテンボローがキリスト教の信者だと考えたのはまちがっていた)。初期のキリスト教徒は、イエスの再臨は自分が生きているあいだに起こると信じていたし、福音書に引用されているイエスの言葉から、彼自身——または少なくとも彼の教えを書き記した人たち——も、そう考えていたことがうかがえる。

モルモン教もまた比較的新しいカルトだが、ジョン・フラムやカーゴカルト、あるいは「エルヴィス復活」カルトと異なり、世界中に広まって、豊かな資金と影響力を手にしている。創始者はジョセフ・スミスというニューヨーク州出身の男性だった。彼の主張によると、一八二三年、モロナイという天使から、古文書が刻まれている黄金の板を掘り出せる場所を告げられたという。彼はそれを掘り出し、その古文書を古いエジプトの言語から英語に翻訳した。その翻訳には、魔法の帽子に入っていた魔法の石の助けを借りた。帽子をのぞき込むと、石が言葉の意味を明かしてくれるのだ。彼は英語「訳」を一八三〇年に出版している。妙なことに、その英語は彼の時代の英語ではなく、二世紀以上前の英語、『欽定訳聖書』の英語だった。マーク・トウェインは、もしやたらと出てくる「次のようなことが起こった」をすべて削除したら、『モルモン書』はパンフレットに縮められる、と冷やかしている。

なぜだろう？　スミスは自分が何をしていると思っていたのだろう？　神は英語を話すと考えていたのか？　それも一六世紀の英語で？　そう考えると、ミリアム・A・ファーガソンという元テキサス州知事にまつわる（ヘリウムガス入りの人形の話のように、おそらくうそだが「広まりやすい」）話を思い出す。ファーガソンはテキサス州の公用語にスペイン語を加えるという考えが気に入らなかったので、こう言ったと伝えられている。

「イエスが英語で十分だったのなら、私もそれで十分です」

ジョセフ・スミスが古い英語を使っていることだけでも、彼がいかさま師ではないかという疑いが人々の心に起こっただろうと、あなたは思うだろう。おまけに彼はすでに詐欺行為で有罪判決を受けていた。にもかかわらず、スミスはすぐに信奉者を引きつけ、その数はいまや数百万にのぼる。一八四四年のスミス殺害から程なく、彼のカルトはブリガム・ヤングというカリスマ的な指導者のもと、一大新興宗教に発展する。ブリガム・ヤングはモーセのように（神話が古い神話からアイデアを借りることがわかる）、信奉者たちを率いて、約束の地を見つけるためにさすらいの巡礼に出た。その地はユタ州であることがわかった。現在、彼らがこの州をおおかた運営しており、モルモン教は「末日聖徒教会」または「LDS」の名で世界中に広まっている。ソルトレイクシティには巨大なモルモン教神殿があり、アメリカおよび世界各地に一〇〇以上の大きな神殿がある。モルモン教はもはや、バヌアツのジョン・フラム信仰のような地方のカルトではない。モルモン教徒には、アメリカ産業界の裕福な指導者や、大学の学位をもつスーツ姿の男たち、アメリカ大統領になりかけた人物もいる。モルモン教徒は収入の一割を教会に献金することを求められ、そのおかげで教会はすばらしく潤っている――例の目を見張るような神殿を見たらわかるだろう。

ところが、そうした裕福なモルモン教徒の紳士たちは、科学的な証拠から確実にわかっていることがばかげていると信じている。まったくのでっち上げのナンセンスだ、と。たとえば『モルモン書』には、アメリカ先住民は紀元前六〇〇年ごろに北アメリカに移住してきたイスラエル部族の子孫であることが、詳しく説明されている。当然のことながら、DNAの証拠はこれがまちがいであることを決定的に示している。スミスがいかさま師だったことをモルモン教徒に教えるにはこれで十分だと、あなたは思うかもしれない。でも、けっしてそうではない。

もっとひどい。『モルモン書』を創作してから数年後にスミスは、エジプトのテーベ付近で発見されて収集家に買い取られた、エジプトの古文書《こもんじょ》を翻訳した、と主張している。そして、その文書はアブラハムの生涯とエジプトへの旅を記述したものだと主張し、一八四二年にその「翻訳」を『アブラハム書』として出版した。アブラハムの若い時期やエジプトの歴史と天文学について、微に入り細に入り述べられている。一八八〇年、スミスの『アブラハム書』はモルモン教会によって正式に「正典」と認められた。

古代エジプトの象形文字の専門家は、スミスの「翻訳」はいかさまではないかと考えた。ニューヨークのメトロポリタン美術館館長が書いた一九一二年の手紙に、『アブラハム書』は「真っ赤なうそ……最初から最後までたわごとの寄せ集めだ」とある。しかしそれでも、敬虔なモルモン教徒は信じつづけることができた。パピルスの原本は、それを所蔵していたシカゴ美術館が一八七一年に火事になったとき、焼失したとされたのだ。ところがジョセフ・スミスにとって不運なことに、パピルスの原本はすべてだめになったわけではなかった。一部が一九六六年に再発見されたのだ。そのころまでに、学者たちはその文書の言語を解明していた。実際にその言語を理解していたモルモン教徒の学者とモルモン教徒でない学者両方によって正しく翻訳されたとき、それはまったくちがうものに関する書であることがわかった。アブラハムとは何の関係もない。ジョセフ・スミスの「翻訳」は完全な、そして明らかに意図的な、でっち上げだったのである。

そういうわけで、スミスの『アブラハム書』は実在した原稿のでたらめな翻訳だったことは確実にわかっている。それなら、なぜか「消えてしまった」のでほかの誰も確認できない「黄金の板」を、魔法の帽子のなかの魔法の石を使って「翻訳」した『モルモン書』も、でっち上げだった可能性が高いのでは？　モルモン教徒もそれに気づいただろうと、あなたは思うかもしれない。ところが、スミスによる明らかに不誠実な『アブラハム書』のでっち上げでさえ、信者の信仰を揺さぶるには足りなかった。

このことは、子ども時代の洗脳がもつ驚くべき力を示しているのではないだろうか。宗教のなかで育てられた人々にとって、それを振り落とすのはとても難しい。そして彼らが次の世代に伝える。それが代々続く。末日聖徒教会はいまや世界屈指の急成長宗教だ。このことを踏まえれば、もっと古い時代、新聞もなく、インターネットもなく、本もなく、イエスの死後数十年にわたって口コミのうわさしかなかった時代、キリストのカルト――処女懐胎、奇跡、よみがえり、昇天などすべて――がどうして勢いよく広まることができたのか、あなたにもわかるだろう。

モルモン教やジョン・フラムの神話とちがって、エデンの園のごとき『旧約聖書』の神話はあまりに昔に考案されたので、私たちはその由来を知ることができない。どんな部族にも起源神話があるが、これは意外ではない。なぜなら、人は自分たちがどこから来たのか、動物すべてがどこから来たのか、そして世界の起源、太陽と月と星の起源が、おのずと気になるからだ。エデンの園の物語はユダヤ人の起源神話である。世界中に何千とある起源神話のうち、たまたまキリスト教の聖書に取り入れられたのが、ユダヤ人の起源神話だった――その理由は単純に、イエスがユダヤ人であり、コンスタンティヌス大帝がキリスト教に改宗したという、二つの歴史的偶然にすぎない。ノアの物語とちがって、アダムとエバの神話はバビロニアに由来するものではないようだ。おかしなことに、別の起源神話と類似点がある。それは中央アフリカの森林に住む小柄な民族、ピグミー族の神話だ。

思い出してほしい。ユダヤ人の神話では、アダムは「土のちり」からつくられた。神は「命の息をその鼻に吹きいれられた。そこで人は生きた者となった」。神は園芸家よろしく、挿し木のようにあばら骨の一本からエバをつくった。ちなみに、この神話がもとで、男性は肋骨が一本足りないと真面目に考えている人がどれだけたくさんいるか、仰天ものだ！

神はアダムとエバを美しい園、エデンの園に住まわせた。そして二人に、園にある何でも好きなものを自由に食べていいと言ったが、一つ重要な例外を設けた。園の中央にある一本の特別な木、「善悪の知恵の木」は厳しく禁じたのだ。絶対にその木の実を食べてはならない。しばらくはそれで問題なかった。しかしその後、しゃべるヘビがこそこそとエバに近づき、禁じられた知恵の木の実を食べるよう、彼女をそそのかした。彼女は食べ、アダムにも試してみろと勧める。なんてことだ！ すぐに二人は、自分たちが裸であるという事実を含めて、禁断の知恵で満たされた。そして裸であることを恥じ、二人は葉っぱで腰巻きをつくった。これで「涼しい風の吹くころ、園の中に……歩まれる」（美しい表現だ）神に、秘密がばれてしまう。神は二人が恐ろしい木の実を食べたにちがいないと気づく。彼は激怒した。かわいそうなアダムとエバは美しい園から永遠に追放される。そしてアダムとその子孫となる男はみな生涯、骨の折れる労働を強いられた。エバとその子孫となる女はみな、出産の痛みを強いられた。そしてヘビとその子孫は、脚なしで地面を這うことを（そしておそらく話す力をなくすことを）強いられた。

では、ユダヤ人の起源神話をピグミー族の神話と比べてみよう。両者が似ていることを指摘したのはベルギー人の人類学者で、コンゴ民主共和国にあるイトゥリの森のピグミーとともに暮らし、彼らの言語を研究し、この起源神話のさまざまな似たバージョンを翻訳している。あるバージョンは次のとおり。

ある晴れた日、天国で神は助手のかしらに最初の人間をつくるよう命じた。月の天使が地に降りた。彼は土から最初の人間をこしらえ、その土を皮膚でくるみ、皮膚に血を注ぎ、鼻の穴と目と耳と口のための穴を開けた。最初の人間の底にも穴を開けて、内臓をすべて体内に入れた。次に天使は、自分自身の生命力をその土でできた小さな像に吹き込んだ。そしてその体内に入った。すると像は動いた。……起き上がった。……立ち上がった。……歩いた。それがエフェ、最初の人間であり、そのあと生まれたすべての人間の父親である。

神はエフェに言った。「子をもうけ、私の森に住まわせよ。彼らが幸せになるのに必要なものをすべて私が与えよう。彼らは働く必要はない。彼らは大地の主人である。永遠に生きる。私が禁じることはただひとつ。さあ、よく聞け、私の言葉をおまえの子どもたちに述べて、この命令を代々伝えていくよう命じなさい。人間は絶対にタフの木に近づいてはならない。どんな理由があっても、けっしてこの掟《おきて》を破ってはならない」

エフェはこの命令にしたがった。彼も彼の子どもたちも、けっしてその木に近寄らなかった。何年もすぎたところで、神はエフェを呼んで言った。「天国に上がってきなさい。おまえの助けが必要だ！」。そこでエフェは天に上った。彼が去ったあとも、先祖たちは彼の掟と教えをずっと長いあいだ守って生きていた。ところがある日、身重の女性が夫に言った、「ねえ、タフの木の実を食べたいわ」。夫は言った、「それが悪いことだとわかっているよね」。彼女は言った、「なぜ？」。彼は言う、「掟に反しているからだよ」。彼女が言う、「あれはばかげた古い掟よ。私とばかげた古い掟、どっちが大切なの？」

二人は言い争ったが、ついに夫が折れた。彼は恐怖で心臓をバクバクさせながら、森の奥深くにこっそり忍び込んだ。どんどん近づく。あそこだ——禁断の神の木がある。罪人はタフの木の実をもいだ。その皮をむき、皮を葉っぱの山の下に隠す。そして小屋にもどり、木の実を妻に与えた。彼女はそれを味わった。

彼女は夫にも食べてみろと勧める。夫は食べた。ピグミーのほかの者たちも全員、一口食べた。みんなが禁断の実を食べ、誰もが神にはきっとわからないと考えた。そのあいだ、月の天使は天から見ていた。そして大急ぎで主人にメッセージを送る。「人間たちがタフの木の実を食べました！」。神は激怒した。「おまえたちは私の命令に背いた」と、先祖たちに言った。「だからおまえたちは死ぬ！」

さて、どう思うだろうか？　偶然か？　確実なことが言えるほどは似ていない。人間の無意識の奥深くに、神話の形で飛び出るパターンが埋め込まれているのかもしれない。有名なスイスの心理学者C・G・ユングは、その無意識のパターンを「アーキタイプ（元型）」と呼んだ。ユングなら、禁断の木の実は人間の普遍的なアーキタイプであって、ピグミーの心とユダヤ人の心の両方に隠れていて、それぞれ別々に起源神話を着想させたのだと言うかもしれない。世界中の神話が始まる経緯のリストに、ユングのアーキタイプも加える必要があるかもしれない。広まっている世界大洪水の神話も、ユング説のアーキタイプなのだろうか？

もうひとつの可能性が、すでにあなたの心に浮かんでいるだろう。ピグミーの神話は純粋にピグミーに端を発しているのではなくて、もっと前に宣教師の影響を受けた可能性もある。宣教師はピグミーにアダムとエバの物語を教えただろう。そして深い森のなかで、何世代にもわたる伝言ゲームによって脚色された結果、禁断の木の実という聖書の考えが、ピグミー独自の起源神話に組み込まれたのだ。この可能性は高いと私は思う。でも、この神話を翻訳したベルギーの人類学者ジャン＝ピエール・アレ（ちなみに、驚くべき人物だ――グーグルで彼の名前「Jean-Pierre Hallet」と「badass」で検索してみてほしい）はこれに反対し、影響は逆に働いたのだと確信していた。彼の考えでは、禁断の木の実の伝説はピグミー族に端を発し、エジプト経由で中東に広まったのだという。彼の説か宣教師説のどちらかが正しいなら、二つの神話のちがいは、一方の神話が他方の神話に姿を変えるとき、やはり伝言ゲーム効果の力が働くことを実証している。

アダムとエバの神話を含めて、多くの部族神話には詩的な美しさがある。でも、気づいていない人があまりにも多いので、不本意ながら私が繰り返し言わなくてはならないことがひとつある。事実ではないということだ。それは歴史ではない。大部分はまったく歴史にもとづいてさえいない。アメリカは教育レベルの高い先進国だと考えられがちである。そして部分的にはそうだ。しかし、その偉大な国のほぼ半数の国民が、アダムとエバの物語を文字どおりに信じているという、驚くべき事実がある。さいわい残りの半数もいて、その人たちのおかげでアメリカは世界史上、最も強力な科学大国になったのだ。聖書の一言一句が文字どおり事実だと信じている科学的に無知な半数に邪魔されていなかったら、彼らがどれだけもっと先を行っていたかと、どうしても考えてしまう。

現在、教養のある人なら、アダムとエバの神話もノアの箱舟の神話も文字どおり事実だとは考えない。しかし大勢の人々が、イエスの神話（たとえばイエスが墓からよみがえった話）、イスラム教の神話（たとえばムハンマドが天馬に乗った話）、モルモン教の神話（たとえばジョセフ・スミスが黄金の板を翻訳した話）を信じている。彼らが信じるのは正しいと思うだろうか？　そうした話を、エデンの園の神話より信じるもっともな理由はあるのか？　あるいはノアの神話は？　あるいはジョン・フラムとカーゴカルトは？　どう思う？　そして、あなたがどんな信仰のなかで育ったにしても、自分の信仰の神話を信じるなら、なぜ、その神話のほうが、ほかの人々が育った場所のほかの信仰の神話より、事実である可能性が高いといえるのだろう？

というわけで、私たちは歴史としての聖書を取り上げた。だが、ほとんど歴史ではなかった。そして神話としての聖書を取り上げた。ほとんどが神話であり、そのことに問題はない。神話にはちゃんと価値がある。でも聖書の神話を、ヴァイキングやギリシア人、エジプト人、ポリネシア諸島の島民、オーストラリア先住民、あるいはアフリカやアジアや南北アメリカの無数の民族の神話より傑出して価値があるものとする差は何もない。ところが、聖書にはもうひとつ重要な主張がある。「グッドブック」と呼ばれているのだ。つまり、道徳的知の書、私たちが良い生活を送るのを助ける書だという。アメリカではとくに、聖書がなければ善良な人間になれないとまで考える人が大勢いる。

聖書は「グッドブック」としての道徳的評価に値するのか？　次章を読んでから判断するほうがいい。

第4章　聖書は善良の書《グッドブック》なのか？

「動物たちは二匹ずつ乗り込みました」。みんなノアの箱舟の物語が大好きだ。キリンの夫婦、ゾウの夫婦、ペンギンの夫婦、ほかの夫婦も全員、辛抱強く乗船通路を歩いて大きな木造船に乗り込み、にこやかなノア夫妻に歓迎された。ほのぼのする。でも待って。そもそもなぜ、世界を飲み込む大洪水が起きたのだろう？　神が人類の罪深さに腹を立てたのだ。例外は「主の好意を得た」ノアだけ。そして神は男も女も子どもも一人残らず、さらに一種類につきつがい一組をのぞくすべての動物を、溺れさせることにした。あまりほのぼのしないのではないか？

神をまったくの架空のキャラクターだと考えるかどうかは別にして、神が善か悪かを判断することはできる。ヴォルデモート卿やダース・ベイダー、のっぽのジョン・シルバー、モリアーティ教授、ゴールドフィンガー、それにクルエラ・ド・ヴィルを、悪者かどうか判断できるのと同じだ。この章では、「神がこうこうした」という文章は「神がこうこうしたと聖書に書かれている」という意味であり、神が魅力的なキャラクターなのかどうか、彼についての物語は事実なのかフィクションなのか、私たちにも判断できる。これからその判断をするつもりだ。何があってもまだ神を愛せると思うかどうか、あなたも自由に決めてほしい。そういう経験をした一人が、次に挙げる聖書の話に出てくるヨブである。

ヨブはとても善良で正しい、神を愛する男だった。このことを神はたいそう喜び、ヨブについてサタンと一種の賭けをした。サタンは、ヨブが善良で品行方正で神を愛するのは、彼が幸運だから、つまり裕福で健康で、すばらしい妻と一〇人の愛らしい子どもがいるからにすぎないと考えていた。しかし神はサタンに、ヨブはたとえ幸運をすべて失っても、善良でありつづけ、神を愛しあがめつづけると断言した。そしてサタンに、ヨブからすべてを奪うことで、彼を試してかまわないと言った。そこでサタンはそのとおりにした。かわいそうなヨブ！　ヨブの牛も羊もすべて死に、使用人はみな殺され、ラクダは盗まれ、家は強風で吹き飛ばされ、一〇人の子ども全員が早死にした。でも、論争では神が勝利した。なぜなら、そのような挑発に直面しても、ヨブはけっして神に腹を立てず、神を愛しあがめることをやめようとしなかったのだ。

それでもサタンは負けを認めなかったので、神はさらにヨブを試すことを許した。今回サタンは、神がエジプト人にしたように、ヨブの全身を腫れ物で覆った（その原因が細菌だと現代人はわかるが、「ヨブ記」の著者は知らなかった。おそらく神とサタンは知っていたのだろう）。それでもヨブの信仰は揺らがなかった。神を愛することをやめなかったのだ。そのため神は最終的に腫れ物を治し、前よりたくさんの富を与えることによってヨブに報いた。妻はもっとたくさん子を産んだ。その後ずっと、彼らはみな幸せに暮らした。賭けのせいで死んだ一〇人の子どもたちや殺された人たちは気の毒だが、よく言われるように、卵を割らずにオムレツはつくれない。

ノアの神話と同様、これも物語であって、現実に起こってはいない。聖書のほとんどの書と同じで、「ヨブ記」を誰が書いたのかはわからない。著者自身（おそらく女性ではなく男性だろう）、ヨブという人間が実在したと考えていたかどうかもわからない。教訓を与えるために架空の話を使っているのかもしれない。その可能性は高い。なぜなら「ヨブ記」のほとんどは、ヨブとその友人（「ヨブを慰める人」）との、道徳上の疑問と神に対する義務についての、長ったらしい対話で構成されているからだ。しかし著者の意図がどうだったにせよ、大勢の敬虔なキリスト教徒とユダヤ教徒はいまだに、これはヨブという実在の苦悩する人物の実話だと考えている。敬虔なイスラム教徒もしかり。なにしろヨブの物語はコーランにもある。ノアの物語もそうだ。そしてまさしくその人たちは、聖典こそ、どうすれば善良になれるかについての最良のガイドだと考えている。そうした信心深い人たちは、神自身が最高のロールモデルだと考える。

ほんとうに神を愛しているかどうか確認するために神が誰かを試すことについては、とても痛ましい物語がほかにもある。あなたが子どもだったとき、ある朝、父親に起こされて、こう言われたとしよう。「今日はいい天気だ。父さんと一緒に田舎を散歩しないか？」。あなたはそのアイデアに大賛成するだろう。そして晴れた空のもと、一緒に出かける。しばらくすると、父親は立ち止まって薪《たきぎ》を集める。あなたはそれを積み上げるのを手伝う。たき火が大好きだからだ。しかし、たき火に火をつける準備ができたとき、恐ろしいことが起こる。まったく予想もしないことだ。父親が突然あなたを捕まえ、薪の山の上に放り投げ、動けないように縛りつけたのである。あなたは恐怖で悲鳴を上げる。お父さんはたき火の上で私を焼こうとしているの？　もっと悪い。父親はナイフを取り出し、頭の上に振りかざす。もはや疑う余地はない。父親はナイフであなたを突き刺そうとしている。あなたを殺してから、死体に火をつけようとしているのだ。あなたの実の父親、あなたが幼いころ、寝る前に本を読んでくれ、花や鳥の名前を教えてくれる父親、プレゼントをくれて、暗闇を怖がっているあなたを慰めてくれた最愛の父親。どうしてこんなことに？

するると突然、父親が動きを止めた。けげんな表情で空を見上げる。まるで頭のなかで自分と会話しているかのようだ。ナイフをしまい、あなたを解放し、事情を説明しようとするが、あなたは恐怖と不安で身がすくみ、父親の言葉はほとんど聞こえない。それでも最終的に、あなたは彼の言いたいことを理解する。すべては神のやったことだ。神は父親にあなたを殺すよう命じていた。でも、ただからかっていただけだとわかった。神に対する父親の忠誠心を試したのだ。神に命じられたらあなたを殺すこともいとわないほど、神を深く愛していることを証明しなくてはならなかった。大切なわが子よりも神を愛していることを、神に証明しなくてはならなかった。神はあなたの父親がほんとうに、ほんとうにやり抜く準備をするのを見たとたん、ぎりぎりで止めに入った。引っかかったな！　エイプリルフールだよ！　本気じゃあなかったんだ！　そうさ、うまいジョークだったろう？

　これよりひどいいたずらを想像できるだろうか？　子どもに一生の傷跡を残し、父子の関係を永久にだめにするよう計算されたいたずらだ。しかしこれこそまさに、神がやったと聖書に書かれていることなのだ。一部始終を「創世記」第二二章で読んでほしい。父親はアブラハム、子どもは息子のイサクだ。

　同じ話がコーラン（第三七章九九〜一〇九節）でも語られている。そこに息子の名前は出ていないが、イスラム教には、それはアブラハムの別の（母親のちがう）息子イシュマエルだったとする伝統がある。コーラン版では、アブラハムは自分が息子をいけにえにする夢をみている。夢だけでも、彼はアッラーがそうするように命じているのだと納得し、息子の意見を聞いた。驚いたことに、息子は父親にどうぞ自分をいけにえにしてくれと言った。別のイスラム教の伝統——このバージョンはコーランそのものにはない——によると、シャイターン（サタン）がアブラハムを、そんな恐ろしいことはするなと説得しようとしている。この物語では悪魔はいいやつになっているようだ。それでもアブラハムは自分の夢のほうを選んで、シャイターンに石を投げて彼を追い払った。イスラム教徒はこの石投げを、イードアルアドハーと呼ばれる年中行事で象徴的に再現する。

もしあなたがイサク（イシュマエル）だったら、父親を許せるだろうか？　もしアブラハムだったら、神を許せるか？　もし現代にこんなことが起こったら、アブラハムは残酷な児童虐待で逮捕される。もし男が「でも私は命令にしたがっていただけです」と主張したら、裁判官が何と言うか想像できる？　「誰の命令ですか？」。「えーっと、裁判長、この声を頭のなかで聞きました」。または「この夢を見たのです」。もしあなたが陪審員だったら、どう思うだろう？　十分に妥当な言い訳だと思う？　それとも、アブラハムを刑務所に送るだろうか？

神の嫉妬、神の残酷

さいわい、これが実際に起こったと考える理由はない。第2章と3章で見てきたように、聖書にあるほとんどの物語と同様、それを裏づける確かな証拠はない。それどころか、アブラハムとイサクが実在したという証拠さえない。たとえば『赤ずきんちゃん』（これもまた、真剣に受け止めるとひどく心が痛む物語だが）と同じようなものだ。でも大事なのは、フィクションであれ事実であれ、聖書が相変わらず「グッドブック」とされていることだ。そしてその主人公である神は、最高に善良だとされている。多くのキリスト教徒が、聖書を歴史的事実として文字どおり受け止めている。第５章で見るように、彼らは神がいなければ善良であることは不可能であり、善良の意味さえ知ることができない、と考えている。

私としては、アブラハムを試す神とヨブを試す神、どちらの物語でも、神は残酷なだけでなく、いやはや、自信がないのだと思えてならない。小説に出てくる嫉妬深い妻のようだ。夫の誠実さを信じられないので、わざとだまして浮気をさせようとする。夫は裏切らないと自分自身に証明するためだけに、魅力的な女友だちを説得して彼を誘惑させる。神はすべてを知っているとされているのなら、アブラハムが試されたときにどうふるまうか、あらかじめ知っていたと考えられる。

聖書では、神は自分が嫉妬深いと何度も言っている。自分の名前が「ねたみ」だと言っている箇所さえある！　しかし、普通の人たちは恋敵《こいがたき》や仕事の競争相手に嫉妬するのに対し、神はライバルの神に嫉妬する。それがもっともな場合もある。第１章で見たように、昔のヘブライ人は現代の意味での一神教徒ではなかった。部族神としてのヤハウェに忠実だったが、だからといって、ライバル部族の神の存在を疑うわけではなかったのだ。自分たちのヤハウェのほうがほかの神より力が強く、支持するに値すると考えただけである。しかも、彼らはほかの神をあがめたくなることもあった。だが、神がそのことを知ったら恐ろしい結果が待っている。

聖書によると、あるときイスラエル人の伝説的指導者であるモーセは、山に登って神と話をしていた。モーセがかなり長い時間行ったきりなので、人々は彼が帰ってこないのではないかと思い始めた。彼らはモーセの兄のアロンを説得し、モーセが見ていないあいだに、みんなからたくさんの金《きん》を集めて溶かし、新しい神をつくらせた。金の子牛である。彼らは頭をたれて、金の子牛をあがめた。妙に思えるかもしれないが、牛などの動物の像をあがめることは、当時の地元部族にはごく一般的だった。モーセは自分の民が神を裏切っていることを知らなかったが、神自身はイスラエル人が何をしようとしているか、すべてお見通しだった。嫉妬に狂った神はそれを止めるために、大急ぎでモーセを山から下りさせた。モーセは金の子牛を没収し、燃やし、すりつぶして粉にし、水に混ぜて人々に飲ませた。イスラエルの一部族であるレビ族は、金の子牛にだまされなかった。そこで神はモーセを通じてレビ族全員に、剣を取って他部族の人間をできるだけたくさん殺すよう命じる。これで合わせておよそ三〇〇〇人が死んだ。それでも神の嫉妬による激怒は治まらない。彼は残った人々を痛めつけるために疫病をはやらせた。もし何が自分のためになるかを知っているなら、この神に楯突《たてつ》いてはならない。とくに、ほかの神に目を向けようとしてはならない！

モーセは山の上で神と何をしていたのだろう？　特筆すべきは、石板に刻まれた有名な十戒を授かっていたことだ。彼はそれを携えて山を下りたが、金の子牛を見たときの怒りがあまりに激しく、落として割ってしまった。でも心配はいらない。神があとで予備のセットを渡しており、そこに何が書いてあったか、聖書の別々の二カ所で伝えられている。現在、なぜキリスト教が世のためになる力だと思うのかとキリスト教徒に尋ねると、彼らはたいてい十戒を引き合いに出す。ところが、十戒とは実際に何なのかと訊くと、ひとつしか思い出せないことが多い。「汝《なんじ》殺すなかれ」

私の考えでは、これは善良な生き方にとってしごく当然のルールである。石に刻む必要もないはずだ。しかし第5章で見ていくように、その意味は「自身の部族メンバーを殺してはならない」ということだとわかる。神は外国人を殺すことをなんとも思わないのだ。この章の後半で見ていくように、『旧約聖書』の神は自分の選民に対し、しきりにほかの部族を皆殺しにするよう促している。これほど血に飢えた冷酷さは、ほかのどんなフィクション作品にも見られない。しかしいずれにしろ、「殺すなかれ」は十戒のなかの一番目ではない。言い伝えによって戒律をどういう順にするかは多少ちがうが、一番についててはすべて意見が一致している。「あなたはわたしのほかに、なにものをも神としてはならない」。またもや嫉妬だ！

主はねたみ、かつあだを報いる神、主はあだを報いる者、また憤る者、……。（「ナホム書」第一章二節）
あなたは他の神を拝んではならない。主はその名を『ねたみ』と言って、ねたむ神だからである。（「出エジプト記」第三四章一四節）

聖書によると、もうひとつ神の子どもじみたところは、焼ける肉のにおいが大好きなことだ。ふつうは人間でない肉だが、いつもそうとは限らない。神がアブラハムにイサクをたき火の上で縛るよう命じたとき、その理由は、神はいつもおいしそうなにおいの煙を欲しがるからだ、とアブラハムは理解していた。神は土壇場でイサクを救うために止めに入ったあと、雄羊を送り込み、近くのやぶに角を引っかけさせた。アブラハムはメッセージを理解し、そのかわいそうな生きものを殺して、イサクの煙の代わりに羊の煙を神にささげた。突然雄羊が現れたことについて、日曜学校の公式の解釈によると、人間をいけにえにするのをやめて、代わりに動物をいけにえにするようにと、神が人々に教えるためだったという。しかしこの物語のなかの神は、当時、人々に話をするのが習慣だった。なにしろ彼はアブラハムにイサクを殺すよう言ったのだ。それなら、神は単純に言葉で、人ではなく羊をいけにえにするようにと言えたのではないか。なぜ哀れなイサクにそんな恐ろしい苦難を与えたのか？　あなたも聖書を読めばわかるが、メッセージは単純明快ではなく、遠回しの「象徴的な」やり方で伝えられている。私としては、ほんとうに思いやりある神なら、羊もいけにえにするなと命じるように思えてならない。

なぜ神はいまでは、アブラハムに対してしたように人間に話しかけないのだろう？

『旧約聖書』のあちこちで、神は黙っていられなかったように思える。ほぼ毎日、モーセほぼ毎日、モーセに話しかけていたらしい。ところが現在、彼の小言が聞こえる人は誰もいないようだ――

もしいたら、精神科の助けが必要だと私たちは考える。このことだけでも、そうした昔話が実話ではないかもしれないと思わないだろうか？

神がどれだけ思いやりがあるのか、疑問に思わざるをえないような物語がほかにもある。「士師記」の第一一章に、エフタと呼ばれるイスラエルの大将の物語が出てくる。彼はアンモンというライバル部族にどうしても勝利する必要がある。エフタはぜひとも勝ちたかったので、もし神がアンモンに勝たせてくれさえすれば、戦いのあとに自分が家に帰ったとき、何であれ誰であれ、最初に目にしたものをいけにえとして焼いてささげると約束した。神は彼の望んだとおりの勝利を与え、彼は「非常に多くの人を殺した」。かわいそうなアンモンの人々、とあなたは思うかもしれない。しかし事態はますます悲惨になる。エフタにお祝いを言うために家から出てきた最初の人物は、あろうことか彼の愛する娘だった。たった一人の娘だ。彼女は勝利した父親を出迎えるために、大喜びで舞い踊りながら出てきたのだ。エフタは神に約束したことを思い出してゾッとした。しかし彼に選択肢はない。自分の娘を焼かなくてはならない。神は約束のいけにえが焼けるにおいを楽しみに待っている。娘はいけにえにされることにとても慎み深く同意し、ただ、まず二カ月間山に入って、「処女であることを嘆く」のを許してほしいと頼んだ。二カ月後、彼女は用をすませて帰ってきた。エフタは約束を守り、神が満足のいくすばらしい煙を得られるように、自分の娘を丸焼きにした。この場合、神はアブラハムとイサクの教訓を忘れて、止めに入らなかった。すまない、娘よ、思いやりに感謝する！　そして処女でいてくれたことにも感謝する。それはどういうわけか、いけにえにとって重要と考えられていた（三九節）。

そもそも、なぜエフタはアンモンの人々と戦い、なぜ神は彼が勝つ手助けをしたのか？『旧約聖書』は血なまぐさい戦いでいっぱいである。そしてイスラエルが勝つと必ず、血に飢えた戦いの神がたたえられる。「ヨシュア記」と「士師記」はおもに、イスラエルの民がモーセに率いられてエジプトでの囚《とら》われの身から脱出したあと、約束の地を奪取するために展開した軍事作戦について語っている。その地とはイスラエルの地、「乳と蜜の流れる土地」である。すでにそこに住んでいた不運な人々を皆殺しにすることによって、彼らがその土地を奪取するのを、神は助けたのだ。ここでの神の命令はけっして遠回しではなく、恐ろしいほど明白だ。

あなたがたがヨルダンを渡ってカナンの地にはいるときは、その地の住民をことごとくあなたがたの前から追い払い、すべての石像をこぼち、すべての鋳像をこぼち、すべての高き所を破壊しなければならない。またあなたがたはその地の民を追い払って、そこに住まなければならない。わたしがその地をあなたがたの所有として与えたからである。（「民数記」第三三章五一～五三節）

「わたしがその地をあなたがたの所有として与えたからである」。何だって？　これが戦争を始めるための正当な動機なのか？　第二次世界大戦でアドルフ・ヒトラーは、ポーランド、ロシア、その他東ヨーロッパの土地への侵攻を、優れたドイツの支配者民族にはレーベンスラウム、すなわち「生存圏」が必要だと言って正当化した。そしてそれこそまさに、神が自分自身の「選ばれた民」に、戦争によって要求するよう強く促していたものである。神はとても思いやりがあったので、約束の地への旅を妨げるだけの部族と、約束の地そのものにすでに住んでいる部族を区別している。前者は平和を提案される。彼らが同意すれば、大ごとにはならない。最悪でも、男たちが殺され、女たちは性奴隷として連れ去られるだけだ。
しかし、神が自身の選民に約束したレーベンスラウムに実際に住んでいた不運な人々を待っていたのは、そんな寛大な処置ではない。

ただし、あなたの神、主が嗣業《しぎょう》として与えられるこれらの民の町々では、息のある者をひとりも生かしておいてはならない。すなわちヘテびと、アモリびと、カナンびと、ペリジびと、ヒビびと、エブスびとはみな滅ぼして、あなたの神、主が命じられたとおりにしなければならない。（「申命記」第二〇章一六〜一七節）

神は真剣そのもので、その無慈悲な望みは文字どおりかなえられた。約束の地を征服するあいだだけでなく、『旧約聖書』全編を通して、同様のことが繰り返される。

今、行ってアマレクを撃ち、そのすべての持ち物を滅ぼしつくせ。彼らをゆるすな。男も女も、幼な子も乳飲み子も、牛も羊も、らくだも、ろばも皆、殺せ。（「サムエル記上」第一五章三節）

神は子どもさえも殺すよう命じた。とくに男の子だ。女の子は生かしておく価値がある。

目的は……うーん、自分で読んで、想像力を働かせてみてほしい（あまりたくさんは必要ない）。

それで今、この子供たちのうちの男の子をみな殺し、また男と寝て、男を知った女をみな殺しなさい。ただし、まだ男と寝ず、男を知らない娘はすべてあなたがたのために生かしておきなさい。（「民数記」第三一章一七〜一八節）

現在、私たちはそれを民族浄化、そして児童虐待と呼ぶ。

神学者は、聖書のこれらの節や多くの似たような節に困惑している。現代の考古学や学識が、こうした『旧約聖書』の物語が歴史的事実だという証拠を見つけられないことに、彼らは感謝するべきだ。神学者は多くの恐ろしい物語を、歴史ではなく、象徴的な神話やイソップ寓話のような道徳物語として説明する。まあそれでかまわないが、このような恐ろしい話のどれかに、どうしたらまともな道徳が見つかるのかと、あなたは疑問に思うだろう。なにしろ過激に流血を好む話、レーベンスラウムを求める戦争物語、民族浄化のための大量虐殺物語、そして女性を男性の所有物として扱い、強姦して性奴隷にする話である。

現代のキリスト教神学者は『旧約聖書』をまるごと切り捨てることもある。救われる思いで『新約聖書』に注意を向けるのだ。そこに登場するイエスは、恐ろしい天の父よりはるかに思いやりがある。イエス自身はその対比をよくわかっていない。「ヨハネによる福音書」で、彼はこう言っている。「わたしと父とは一つである」、「父がわたしにおり、わたしが父におる」、「わたしを見た者は、父を見たのである」。それでも福音書に登場するイエスは、たしかにとても思いやりのあることを言っている。「マタイによる福音書」にある山上の垂訓はイエスを、当時としては異例なほど、きわめて善良な人物として示している。あるいは、ごく一部の学者が考えるようにもし彼が存在しなかったとしても、イエスと呼ばれる架空の人物は思いやりのあるキャラクターだ。しかし、山上の垂訓の言葉がどれだけ思いやりにあふれていようと、キリスト教の立役者である聖パウロが伝道した、この宗教の中心的教義は別の問題である。

聖パウロの――ということは、ほぼあらゆる現代キリスト教徒の――キリスト教は、あなたも私も、過去に生きた人もこれから生きる人もみな、「罪のうちに生まれる」と考える。第2章で見たように、マリアの「無原罪懐胎」は、生まれながらに罪深いという汚点を免れたのが、ほぼ彼女だけであることを意味する。パウロの頭は罪のことでいっぱいだった。彼から受ける印象では、神は自分が創造した広大な膨張する宇宙のことよりも、一個の小さな惑星のひとつの種《しゅ》が犯した罪のほうに、はるかに関心があるようだ。パウロをはじめとする初期のキリスト教徒は、しゃべるヘビが最初の女性エバをそそのかし、そのエバに誘惑されて最初の男性アダムが犯した罪を、人間はみな受け継いでいると信じていた。第3章で見たように、彼らの罪とは、神がはっきり禁じていた果実を食べたことだ。この罪はあまりに恐ろしく、神は二人をエデンの園から追放し、二人とその子孫にきつい労働と痛みの生活を運命づけたほどだ。その恐ろしい罪を、私たち全員が受け継いでいると考えられている。キリスト教神学者の重鎮の一人、聖アウグスティヌスによると、「原罪」はアダムから精子を伝える液である精液によって男系に受け継がれているという。

あまりに幼いので、まちがったことはおろか何ひとつできない新生児でさえ、その小さな肩に原罪の重荷を負って生まれてくる。パウロもキリスト教信者も、原罪は陰鬱な魂のようなものだと考えているようだ。特定の人々がときどき行なうただの悪事ではなく、親譲りの黒いあざのようなものだ、と。罪のうちに生まれた私たちが、地獄の火のなかで永遠に非難されることを逃れられる唯一の方法は、洗礼を受け、イエスの犠牲的な死によって「罪を贖《あがな》われる」ことである。イエスの死は、『旧約聖書』の燔祭《はんさい》のようないけにえであり、神をなだめ、人間のすべての罪を、とりわけエデンの園におけるアダムの「原罪」を、赦してほしいと頼むためだった。

現在、アダムが存在しなかったことはわかっている。これまで生きた人間にはみな両親がいて、曾祖父母の両親のそのまた両親という具合に系図をたどっていくと、さまざまな類人猿、初期のサル、さらには魚、虫、そして細菌にまでさかのぼる。最初の夫婦はいなかった。アダムもエバも存在しなかった。私たちみんなが罪の意識を共有するような、恐ろしい罪を犯した人はいなかった。たとえパウロや初期キリスト教徒はそれを知らなくても、神は知っていたはずだ。それに、人々はほんとうに話すヘビを信じていたのか？　じつは、信じていたのかもしれないと私は思う。なぜなら、とくにアメリカでは、気味が悪いほど大勢の人がいまだに信じているから。しかしそのことはひとまず置いておいて、イエスの死が、アダムから続く人類の罪を「償う」あるいは「贖う」という考えについてはどうだろう？　それはイエスが私たちの罪のために死んだという考えであり、じつはキリスト教全体のまさしく中心である。イエスは私たちの罪が赦されるように、自分の命をもって償ったのだ。

「贖罪《しょくざい》」とは、まちがった行ないの報いを受けることである。神が私たちを赦したかったのなら、なぜ、ただ赦さなかったのだろうと、あなたは不思議に思うかもしれない。しかしだめなのだ。それでは神というキャラクターにとって十分ではなかった。誰かが苦しまなくてはならず、できれば痛ましい死を遂げる必要があった。「ヘブル人への手紙」が言うように、「血を流すことなしには、罪のゆるしはあり得ない」（第九章二二節）。聖パウロは何度も言葉を換えて、「キリストが……わたしたちの罪のために死んだ」（「コリント人への第一の手紙」第一五章三節）と説明している。

考え方はこうだ（私を責めないでほしい。私はキリスト教の公式の信条を報告しているだけだ）。とくに（実在しなかった）アダムの重大で受け継がれる罪を含め、人類の罪を神は赦したかった。しかしただ赦すことはできなかった。それでは簡単すぎる。露骨すぎる。誰かが赦しのために、犠牲の行為によって代償を払わなくてはならない。そして人間の罪はあまりに大きいので、ふつうの犠牲行為ではだめだ。神自身の息子であるイエスを拷問にかけ、苦しみながら死なせることしかない。そう、イエスがこの世に降りて（「どこから」？）きたのは、人類の罪を贖うべく、むち打たれ、木の十字架に磔にされ、激しく苦しみながら死ぬためだったのだ。人間の首にまとわりつく重い原罪の代償を払うには、神自身の血――イエスは人の姿をした神とされているので――を犠牲にするしかなかった。

この話にあなたがどんな印象を受けるかはわからないが、じつにひどい考えだと思ってもかまわない。十字架でイエスが死ぬまでのいつ何時でも、全能の神は止めに入ることができただろう――アブラハムによるイサクの燔祭でやったように。「やめろ、おまえたち、もういい。その釘を私の愛する息子の手に打ちつける必要はない。とにかくおまえたちを赦すよ。みんな一息ついて、人間の罪がすべてみごとに赦されたことを祝おうじゃないか」

いや、問題に対するこの当然と思える解決策は、神にとっては物足りなかった。この話について私が脚本を書くとしたら、神のセリフは次のようになるだろう。

そうだな、ただ彼らを赦すことはできない。彼らの罪はあまりに重い。あの不愉快な金の子牛のときにやったように、三〇〇〇人殺すのはどうだろう？　いや、三〇〇〇人でも足りない。普通の人間を三〇〇〇人ではだめだ。たった三〇〇〇の一般人を殺すことでは消せないいくらい罪は重い。だが、そうだ、自分の息子を人間にして、すべての人間のために彼を拷問にかけさせ、殺させるのはどうだろう。そう、それこそが価値ある犠牲と呼びたいものである。殺すのはただの年とった人間ではなく、人間の姿をした神だ！　これでなくちゃ。そのとおり。これなら人間のあらゆる罪を贖うに足る犠牲だ。アダムの罪も含めてな（おっと、いけない、彼らに話すのをずっと忘れている。アダムは実在しなかったのだ）。さあ行け、息子よ、悪いがこれより良い解決策は見つからない。それから、炎の戦車で行くわけにはいかないぞ。おまえを女性の子宮に入れることにするから、おまえは生まれて、育てられて、一〇代の苦悩やなんかをすべて学ばなくてはならない。そうしないと、おまえは完全な人間にはならない。それでは、最終的に人間を救うためにおまえを十字架に磔にさせるとき、おまえがほんとうに人間の代わりになっているとは思えないだろう。ところで、磔にされるのは私自身だということを忘れるな。なぜなら私はおまえで、おまえは私だからだ。茶化している？　そうだ。無礼？　そうかも。フェアじゃない？　正直なところ、そうは思っていないので、私が謝らない理由をわかってほしい。贖罪の教義はたしかにキリスト教徒がとても真剣に受け止めているものだが、きわめて、きわめてたちが悪いので、こき下ろされてもしかたがない。神は全能とされている。彼は膨張する宇宙、互いに高速で離れていく銀河を創造した。科学の法則と数学の法則を知っている。なにしろ彼がそれを考案したのであり、彼はおそらく量子重力や暗黒物質《ダークマター》さえも、どんな科学者よりも理解しているだろう。彼がルールをつくる。ルールをつくる者は、それを破ったことについて、誰であれ好きな人を赦す力をもっている。それでも、神が人間の罪（とくに、存在しなかったのだから罪を犯せなかったはずのアダムの罪）について、人間を赦そうと自分に――ほかの誰でもない自分に――言い聞かせるために思いついた唯一の方法が、人間の名において（自分自身でもある）自分の息子を拷問させ、十字架にかけさせることだった――と信じるように、私たちは言われている。そう考えると、『旧約聖書』のほうが『新約聖書』より恐ろしい物語の数は多いが、『新約聖書』の中心的メッセージも恐ろしさでは引けをとらないと言える。

弟子のユダはイエスを裏切った。権力者をイエスのもとに案内し、彼にキスをすることでこの人だと教えたのだ。政党を脱退する政治家は「ユダ」と呼ばれる。ガラパゴス諸島から自然のバランスを崩していた外来のヤギを一掃する活動では、「ユダのヤギ」が使われた。メスに発信機つき首輪を取りつけて、根絶すべき群れの位置を「密告」させるのだ。

昔から、ユダの名は裏切り行為を表してきた。でも、第2章の問いの繰り返しになるが、これはユダにとって公正なのか？　神の計画では、イエスは十字架に磔にされるために、逮捕される必要があった。したがって、ユダによる裏切りは計画に欠かせなかったのだ。なぜキリスト教徒は伝統的にユダの名を憎むのか？　彼は人類の罪を贖うという神の計画のなかで、自分の役割を果たしていたにすぎない。

さらにひどいことに、ユダヤ人全体が何世紀にもわたって迫害されてきた。キリスト教徒がイエスの死を彼らのせいにしたからだ。つい一九三八年にも、ピウス一二世が（ローマ教皇になる一年前に）ユダヤ人について、「いまもその唇は［キリストを］呪い、その心は彼を拒む」と話している。四年後、（イタリアがヒトラー側だった）戦争中、ピウス教皇はエルサレムについて、「神殺しにつながる罪深い道」をたどったときと同じで、「あくまで衝動的でかたくなに恩知らず」だと述べた。カトリック教徒だけではない。プロテスタントを創始したドイツ人のマルティン・ルターも、シナゴーグとユダヤ人学校に火を放つよう主張した。ユダヤ人に対するルターの病的な憎しみは、一九二二年にアドルフ・ヒトラーの共感を得ている。

キリスト教徒としての感情から私は、戦士としての救い主キリストに注目せざるをえない。かつては孤立し、取り巻きの弟子もわずかだったが、こうしたユダヤ人の真の姿を見きわめて、彼らと戦うよう人々に命じた人だ。そしてその人は――神に誓って！――受難者としてではなく戦士として最も偉大だった。私は一人のキリスト教徒として、一人の人間として、限りない愛を抱きながら、主が神の力に守られてついに立ち上がり、鞭をつかんでマムシの子らを神殿から追放した経緯を語るくだりを読む。ユダヤ人の毒から世界を守る戦いは、どんなに恐ろしいものだったことか。二〇〇〇年を経たいま、私は深い感慨をもって、キリストがその血を十字架の上で流さねばならなかったのはこのためだったのだと、これまでにもまして強く確信する。一人のキリスト教徒として、私にはだまされたままでいる義務はなく、真実と正義のために戦う義務がある。……われわれが正しい行ないをしていると証明できるものがあるとすれば、それは日々増していく貧窮である。一人のキリスト教徒として、私は自国民に対する義務も負っているのだ。

ちなみに、キリスト教徒だというヒトラーの主張を、あまり真剣に受け取らないでほしい。何はともあれ、ヒトラーはうそつきの常習犯だった。先ほどの演説ではキリスト教徒だったかもしれないが、いわゆる「テーブルトーク」〔訳注　側近との談話の記録〕では、反キリスト教徒になることもあった。ただし、けっして無神論者ではなく、しつけられたローマカトリックを捨てることはなかった。とはいえ、たとえ彼がほんとうのところ誠実なキリスト教徒ではなかったとしても、ドイツ人のなかには彼の演説に熱心に耳を傾ける者が大勢いた。その土壌をつくったのは、何世紀にもわたって続いたカトリック教会とルター派のユダヤ人に対する憎悪である。そしてその発端は、ヨーロッパのほかの地域と同様、イエスの死はユダヤ人のせいだという言い伝えなのだ。

ローマ帝国の総督ポンティウス・ピラトは、ついにイエスの死刑執行命令を承認すると、水を要求し、公衆の面前で手を洗って、自分はいっさい責任を負わないことを示した。ユダヤ人は「その血の責任は、われわれとわれわれの子孫の上にかかってもよい」(「マタイ伝」第二七章二五節)と叫んだとき、責任を受け入れたのだとされている。歴史を通してユダヤ人が受けた残酷な迫害の多くは、この言葉が原因で起こっている。しかし——要点を繰り返す必要はないと思うが——イエスの磔は神の計画のかなめだった。ユダヤ人は彼の死を求めたとされているが、どのみち神が望んでいたことを求めたにすぎない。ちなみに、「その血の責任は、われわれとわれわれの子孫の上にかかってもよい」は、誰も言いそうもないことに聞こえるし、あとから偏見のある人の手で加えられたのではと疑いたくならないだろうか?

この章を通して私は何度も、聖書で語られている物語はおそらく事実ではないと言ってきた。第2章で見たように、聖書に収められている文書は、そこで説明されている出来事のずっとあとに書かれたものだ。もし目撃者がいたとしても、それまでにほとんどが亡くなっていた。でも、そのことは要点に影響しない。神が架空のキャラクターであってもなくても、ユダヤ教やキリスト教やイスラム教の指導者がみな命じるように、愛したい、従いたいと思えるようなキャラクターかどうか、決める権利は私たちにある。あなたの選択は？

第５章　善良であるために神は必要か？

二〇一六年、アメリカ大統領選の選挙運動が精力的に展開されるなか、民主党は二人の有力候補、バーニー・サンダースかヒラリー・クリントンのどちらかを選ぼうとしていた。党の上級幹部ブラッド・マーシャルはヒラリーを望んだ。彼はバーニーの信用を落とす方法を見つけたと考えた。バーニーが無神論者ではないかと（まるでそれが悪いことであるかのように）疑ったのだ。彼はほかの二人の上級党幹部にメールで、バーニーに公衆の面前で自分の信じる宗教を言うよう要求すべきだと提案した（ヒラリー自身は何も知らなかった）。前に聞かれたとき、彼は「ユダヤ人の血を引いている」と言っていた。しかしほ

んとうに神を信じているのか？　ブラッド・マーシャルはこう書いている。

　彼は無神論者だと思う。……これで私の地元は数ポイント変わる。地元の南部バプテスト派の人たちは、ユダヤ人と無神論者とでは大ちがいだと考える。

「私の地元」とは、ケンタッキー州とウェストバージニア州の有権者のことである。「数ポイント変わる」とは、この二州の票に対する重要な影響を意味する。多くのキリスト教徒は無神論者よりむしろ、自分たちとはちがう信仰であっても宗教心のある人、この場合はユダヤ教徒に投票すると彼は考えたのだ（残念ながら無理もない）。どんな種類であれ「大いなる力を信じて」いるならいい。たとえ自分たちの信じる大いなる力とはちがっていても。世論調査でも同じことが何度も繰り返し出ている。カトリック教徒、イスラム教徒、あるいはユダヤ教徒に投票するのをなんとなく渋る有権者はいる。しかし彼らは、そういう人たちのほうが無神論者よりましだと思っている。無神論者は、ほかのあらゆる面で高い資質をもっていても、リストの最下位なのだ。ブラッド・マーシャルが自分の気に入らない候補者の無神論疑惑を暴露したがったのも、私は浅ましいと思うが、けっして不思議ではない。

　合衆国憲法に「……合衆国のいかなる官職または信任による職務に就く資格として、宗教上の審査を課してはならない」とある。たしかに、マーシャルは無神論者が大統領選に立候補することへの法的禁止を求めていたわけではない。それでは現実に憲法違反だっただろう。もちろん、有権者は個人として票を投じるとき、候補者の宗教に注目することは許されている。しかしマーシャルは憲法の精神に反して、意図的に有権者の先入観に訴えていた。無神論は、超常的なものを何も信じないことにすぎない。空飛ぶ円盤や妖精を信じないのと同じようなものだ。政治家は、経済政策や外交問題、健康と社会福祉、法的問題といった事柄について、決断を下さなくてはならない。なぜ、超常現象を信じていたら、より良い政治的判断を下せるというのだろう？

「天の偉大な隠しカメラ」

残念ながら多くの人たちが、なんらかの神を、とにかく「大いなる力」を信じていなければ、人が道徳を守る――善良でいる――見込みはない、と考えているようだ。あるいは、大いなる力への信仰がなければ、正しいこととまちがっていること、善と悪、道徳と不道徳を区別するための基準がない、と。この章では、「道徳」と「道徳律」の問題全体、「悪」に対する「善」は何を意味するのか、善良であるためには神や神々、またはなんらかの「大いなる力」への信仰が必要かどうか、といった事柄について見ていく。

それでは、なぜ、善良であるためには神が必要だと考えなくてはならないのか？　私が知っている理由はふたつだけで、どちらもまちがった理由だ。ひとつは、聖書やコーランなどの聖典が、どうしたら善良でいられるかを教えてくれていて、ルールブックがないと何が正しくて何がまちがっているかが私たちにはわからないから、である。前の章で「聖書《グッドブック》」を取り上げたが、それにしたがうべきかどうかについて、この章で触れるつもりだ。もうひとつ考えられる理由は、人々の人間に対する評価がとても低いので、政治家も含めて人間が善良であるのは、誰か——ほかにいないなら神——が見張っている場合だけだとされているから、である。つまり「天の偉大な警官」説、または最新の言葉を使うなら「天の偉大な隠しカメラ（または監視カメラ）」説である。

残念ながら、そこにはある程度の真実があるかもしれない。すべての国家は警察が必要だと考えている。そして警察に見張られていると思ったら、犯罪者も盗みなどの罪を犯しにくい。現在、通りや店にはビデオカメラが備えられており、人々がたとえば万引きなど、やってはいけないことをやっているところを頻繁にとらえている。万引き予備軍とて、カメラが自分を見張っていると知れば、当然、試してみる可能性は低い。では、神が自分のあらゆる動きを毎日つねに見張っていると、犯罪者が信じているとしよう。多くの信心深い人々は、神は人の考えさえ読み取って、人が悪い行ないをもくろんでいるだけでも、前もってわかると考えている。なぜそういう人々は、神を恐れる政治家を含めて神を恐れる人のほうが無神論者より悪いことをしそうもないと考えるのか、わかるような気もする。

無神論者は、天の偉大な隠しカメラを恐れる必要はない。現実のカメラと現実の警官を心配するだけでいい――と言われている。こんな辛辣な警句をあなたも聞いたことがあるかもしれない。「良心は誰かが見張っていることを知っている」

人が人に見られているときに善人でいる傾向は、きわめて原始的で、私たちの脳の深くに組み込まれているのかもしれない。同僚の（かつてオックスフォードの学部生時代に私の教え子だった）メリッサ・ベイトソンが、注目すべき実験を行なっている。ニューカッスル大学の彼女の所属する学部では、日々みんなが飲むコーヒーや紅茶、それにミルクと砂糖の代金の支払いに「正直者の箱」が使われていた。飲み物の販売員はいない。壁に価格表が貼られているだけで、みんな適正な金額を箱に入れると信頼されているのだ。見ている人がいるときは、みんな正直だとわかっても意外ではない。でも、独りだったらどうだろう？　あなたなら誰にもわからないと知りながら、同じようにお金を箱に入れそう？　きっとあなたは入れると思うが、みんながそんなに良心的とはかぎらない。だからこそ実験が可能だったのだ。

メリッサは毎週、コーヒールームに価格表を貼り出した。そして毎週、その紙の上端に写真を添える。花の写真のときもあって、同じ花ではないが、とにかく花だった。それが人の両目の写真になることもあって、毎回ちがう目である。そしてこんな興味深い結果が出た。価格表の上部に目がついている週のほうが、人々は正直だったのだ。客を「見ている」のが花だけの「対照」週に比べて、正直者の箱の収入はほぼ三倍だった。妙ではないか？　目が本物の隠しカメラなら、説明は簡単だ。でもコーヒーを飲む人たちは、「目」がただの紙上のインクだと十二分にわかっている。その目は花と同じで、何が起こっているかを見ることはできない。「見張られているのだから正直でいるほうがいい」という合理的な打算ではない。不合理だ。私がニューヨークの超高層ビルの最上階に立って、下を見るときに似ている。自分が落ちることはないと、頭ではわかっている。安全な厚いガラスの内側に立っているのだ。それでも私は鳥肌が立ち、恐怖で背筋がゾクゾクする。これも不合理だ。この場合、祖先は木の高いところに登っているときの危険を認識する必要があって、その過去から受け継がれた遺伝子によって、脳に組み込まれているのかもしれない。たぶんあなたは「神の目が見ているから善人であるほうがいい」と自分に言い聞かせる必要さえないだろう。それは反射的な無意識の効果なのかもしれない。メリッサの紙上の目の効果と同じように（ちなみに、もし疑わしく思っているなら、彼女はその結果が偶然によるものである可能性が低いことを示すために必要な計算も行なっている）。

　不合理であってもなくても、神が自分の一挙手一投足を見ていると心から信じている場合、その人は善良である傾向が強いという話は、残念ながらたしかにもっともらしく思える。でも正直、私はその考えが嫌いだ。人間はそんなものではないと信じたい。誰かが見張っていようがいまいが、自分は正直だと信じたい。

神への恐怖がただ彼を怒らせることへの恐怖ではなく、もっと悪い――はるかに悪い――ものだったらどうだろう？　キリスト教もイスラム教も伝統的に、罪人は死後、永遠に地獄で苦しむと教えてきた。「ヨハネの黙示録」は、「硫黄の燃えている火の池」について語っている。預言者ムハンマドは、最も小さい罰を受ける者でも、くすぶる燃えさしを足の裏の下に置かれる、と言ったと伝えられている。「そのせいで彼の脳は沸き立つ」。コーラン（第四章五六節）は、教えを信じない人たちについて、こう言っている。「皮膚が焼けただれるたびに、われらは何度でも皮膚をとりかえて、彼らに懲罰を味わわせてやろう」。多くの伝道師に言わせれば、何も悪いことをしなくても地獄の火に投げ込まれる。神を信じないだけで十分！　競って恐ろしい悪夢のような地獄絵を描き出した偉大な画家もいる。イタリア語の最も有名な文学作品、ダンテの『神曲――地獄篇』はまるごと地獄の話だ。

あなたは子どものころ、地獄の火に投げ込むぞと脅されただろうか？　その脅しをほんとうに信じた？　ほんとうに怖かった？　こうした問いに「いいえ」と答えられるなら、あなたは運がいい。残念ながら、多くの人が死ぬまでその脅しを信じつづけ、そのせいで人生が、とくに死ぬ間際の日々が、惨めなものになる。

私には、罰を受けるぞという脅しに関する持論がある。なかには妥当に思える脅しもある。たとえば、窃盗で有罪になれば刑務所に行くことになるだろう。その一方で、とても信じられない脅しもある。たとえば、神を信じていなければ、死んだら永遠に火の池で過ごすことになるという。私の持論では、脅しは妥当であればあるほど、恐ろしいものである必要はない。死後に罰を受けるという脅しはあまりに信じがたいので、埋め合わせるために、まさしくほんとうに恐ろしくなくてはならない。それが火の池だ。まだ生きているあいだに罰せられるという脅しは（刑務所は現実にある場所なので）妥当である。そのため、あなたの皮膚が焼けただれたあと、また焼けただれさせるためにとりかえられるというような、おぞましい拷問をからめる必要はない。

死んだあとに永遠の火に投げ込まれるぞと子どもを脅す人たちを、あなたはどう思うだろう？　この本では原則として、そのような問いに対する私自身の答えは示さない。でもここは例外にせずにはいられない。そんなふうに子どもを脅す人たちこそ、地獄に行くのが当然だと思うので、地獄のような場所がないのは彼らにとって幸運である。

地獄がどんなに恐ろしくても、宗教が人に善行または悪行をさせるという、はっきりした証拠はないように思える。信心深い人のほうが慈善団体に気前よく寄付をすることを示す研究もある。彼らは自分たちの教会に「十分の一税」の形で（収入の一〇パーセントを）寄付する。そして教会はたいてい、そのお金の一部を飢餓救済のような価値ある慈善活動や、地震などのひどい災害後の危機的状況に対する支援活動に回す。しかし、教会によって集められるお金の多くは宣教師に渡る。それは慈善事業への寄付と呼ばれる。でも、たとえば飢餓救済や地震で家をなくした人々の援助と、同じ意味で慈善事業なのか？　教育のための寄付は良いことのように思える。しかしその教育が、コーランを暗記することだけだったらどうだろう？　宣教師が子どもたちに、自分の部族の伝統文化を忘れ、代わりに聖書を学ぶように教えていたら？

信者でない人たちも、とても気前がいい場合もある。慈善事業への寄付の世界トップ３、ビル・ゲイツ、ウォーレン・バフェット、ジョージ・ソロスは、三人とも信者でない。二〇一〇年、もともと貧しいハイチを大地震が襲った。被害は甚大だ。信心深いかどうかにかかわらず、世界中の人々が支援と寄付金を申し出た。私自身の慈善基金、理性と科学のためのリチャード・ドーキンス財団も大急ぎで、ＮＢＧＡ（無信仰者による支援）という特別な慈善事業を始めた。無神論者、不可知論者、その他信仰のない人たちからの寄付金を求める呼びかけに参加してほしいと、無信仰、非宗教、無神論の組織を勧誘したのだ。そして大勢の信仰をもたない個人が結集した。三日とたたないうちに、ＮＢＧＡは三〇万ドルを集めた。私たちはそれを全額、その後数週間に入ってきた多額の寄付金と合わせてハイチに送った。もちろん同じころ、宗教的慈善事業も寄付金を募っていた。そして多くの善良な人々がハイチへ救援に出かけた。私がＮＢＧＡの話をしているのは、無信仰者ののほうが信心深い人たちより気前がいいと自慢するためではない。ほんとうのところ、世界中のほとんどの人は危機に直面したとき、信心深くてもそうでなくても親切で気前がいいと思っている。

「天の偉大な監視カメラ」説は、認めるのは気が重いが、ある程度もっともである。ひょっとすると、現実に犯罪を防止しているのでは？　であれば、刑務所に入っているのは、無信仰者の割合が高いように思われる。二〇一三年七月の数字を紹介しよう。アメリカの連邦刑務所で、囚人が属している宗教を自己申告で調べた。囚人の二八パーセントはプロテスタントのキリスト教徒、二四パーセントはカトリックのキリスト教徒、五パーセントがイスラム教徒である。残りの大部分は仏教徒、ヒンドゥー教徒、ユダヤ教徒、アメリカ先住民の伝統信仰、あるいは「不明」である。では無神論者の数字は？　わずか〇・〇七パーセントだ。囚人は無神論者よりキリスト教徒である確率のほうが七五〇倍高い。たしかに、ここで話しているのはキリスト教徒や無神論者だと申告している人の数である。「不明」に隠れているのはどういう人なのか、誰にもわからない。さらに重要なことだが、アメリカのキリスト教徒人口の合計は、無神論者人口の合計より多い。それでも七五〇倍ではない。さらに、囚人は信仰があると主張するほうが早く釈放される可能性があるという事実によって、キリスト教徒の数字はややインフレを起こしているのかもしれない。刑務所の数字は所属宗教のあるなしとたまたま関係しているにすぎない、とも言われている。教育程度の低い人は刑務所に入ることになる可能性が高い。そして教育程度の低い人は無神論者である可能性が低い。とはいえ、あなたがどう見ようと、こうした数字は「天の偉大な隠しカメラ」説にとって有利ではない。

たとえ「偉大な隠しカメラ」説にいくらかの真実があっても、それが神の実在を信じるもっともな理由でないことはたしかだ。何かの事実を信じるもっともな理由は証拠だけである。「偉大な隠しカメラ」説は、ほかの人々が神を信じると期待する（かなり心もとない？）理由にはなるかもしれない。それで犯罪率が下がる可能性はある。本物の監視カメラを設置したり、警察の巡回を増やしたりするよりも安上がりだ。あなたはどう思うか知らないが、私はそんなのは上から目線の考えだと思う。「もちろん、あなたと私は知性がありすぎて神など信じられないが、ほかの人たちが信じるのだとしたら、それはいい考えだと思う！」というわけだ。私の友人で哲学者のダニエル・デネットは、それを「信仰への信仰」と呼んでいる。神を信じるのではなく、神への信仰は良いことだと信じるのだ。イスラエルの当時の首相ゴルダ・メイアは、神を信じているのか言うように要求されたとき、こう答えた。「私はユダヤ人を信じている。そしてユダヤ人は神を信じている」

守られるべき十のルール

「天の偉大な隠しカメラ」説についてはこのくらいにしておこう。ここからは、人々が無神論者より信心深い政治家に投票するのが得策だと思う理由について、もう一方の説に目を向けようと思う。それはまったくちがう考えだ。聖書が良いふるまい方を教えてくれるから、宗教は良いものだと考える人もいる。この説によると、ルールブックがないと私たちは不安の海で漂うことになる。さらに、聖書は優れた「ロールモデル」、つまり手本とすべき神やイエスのような尊敬されるキャラクターを、私たちに示すことを目的としている。

しかし信仰のある人がみな聖書にしたがっているわけではない。まったく異なる聖典をもっている人もいれば、聖典をいっさいもたない人もいる。ここではユダヤ教とキリスト教の聖書についてのみ取り上げようと思う。なぜなら、私がよく知っている唯一の聖典だからだ。しかしコーランについてもほぼ同じことが言える。このような聖典が、善良であるための優れた手引き書だと思うだろうか？　聖書の神は優れたロールモデルだと思うだろうか？　もし思うなら、第4章をもう一度ざっと見直したほうがいいかもしれない。コーランはもっと悪い。なにしろイスラム教徒はそれを文字どおりとらえるように教えられている。

「十戒」はよく、良い人生を送るためのすばらしい手引きとして掲げられる。いわゆるバイブル・ベルト〔訳注　キリスト教信仰の厚い中西部・南部〕を中心とするアメリカのさまざまな州は、十戒に関する激しい論争で分裂している。一方の側にいるのは、裁判所のような州の公《おおやけ》の建物の壁に、十戒を掲示したいキリスト教徒の政治家である。その反対側にいる人たちは、たいてい合衆国憲法を引き合いに出す。憲法修正第一条は次のように述べている。

「連邦議会は、国教を定める、または自由な宗教活動を禁止する、法律を制定してはならない」

これなら明々白々だと言えないか？　ポイントは、宗教は禁じられていないことだ。あなたは好きな宗教を好きなように実践できる。憲法はただ、公式な国教の樹立を禁じているにすぎない。誰もが自由に自分の家に個人的に十戒を掲げることができる。憲法はそのような個人の自由を正当に保障している。しかし、それを州裁判所の公の壁に掲げることは合憲なのか？　多くの法律専門家は合憲でないと考えている。

そうした法律的問題は置いておいて、十戒そのものを見て、どう考えるかを確認しよう。ほんとうに、どうすれば善人でいられるか、どうすれば悪人にならないでいられるか、その良い手引きなのか？　聖書には二つのバージョンがあり、ひとつは「出エジプト記」、もうひとつは「申命記」に示されている。どちらもほぼ同じだが、宗教的伝統（ユダヤ教、ローマカトリック、ルター派など）によって番号が少しちがう。さらに、金の子牛に関して激怒したモーセが最初の石板を落として割ってしまったので、神はのちに新しいものを与えている。これから挙げるのはモーセが落とさなかったもので、「出エジプト記」第二〇章に列挙されている。神は十戒を告げるのに芝居がかった演出を行なった。民を全員シナイ山のふもとに呼び集めてから、角笛の鋭い音が鳴り響くなか、雷雨とともに現れたのだ。それぞれの戒めのあとに私なりのコメントをつけたが、あなたはあなたなりのコメントを加えたいだろう。

わたしはあなたの神、主であって、あなたをエジプトの地、奴隷の家から導き出した者である。

戒めというより声明に聞こえるが、ユダヤ教徒にとってこれが第一の戒めである。キリスト教徒にとっては次の戒めの前置きだ。

第一の戒め　あなたはわたしのほかに、なにものをも神としてはならない。

第4章で見たように、そして神自身がしょっちゅう言っているように、彼は「ねたみの神」なのだ。

『旧約聖書』の神のキャラクターは、病的なほどライバルの神々のことばかり気にしていた。彼らを毛嫌いし、自分の民が彼らを崇拝したがるかもしれないという不安に駆られた。

同様のライバル神に対する強迫的な嫌悪は、イエスの時代のあと数世紀も続いた。コンスタンティヌスの改宗後にキリスト教がローマ帝国で認められたあと、初期キリスト教の狂信者たちは帝国全土で暴れ回り、自分たちが偶像と見なしたものを打ち砕いた。それは今《こん》日《にち》私たちが貴重な芸術作品と見なしているものだ。* （現代のシリアにあった）古代都市パルミラの女神アテナのすばらしい像は一例にすぎない。最悪の破壊者のひとりは崇高なる聖アウグスティヌスだった。ライバル神の像を破壊しようという初期キリスト教徒の狂気的な決意は、今日のイスラム国（ＩＳＩＳ）やアルカイダのイスラム教徒に見られる狂信に通じるものがある。

第二の戒め　あなたは自分のために、刻んだ像を造ってはならない。上は天にあるもの、下は地にあるもの、また地の下の水のなかにあるものの、どんな形をも造ってはならない。

これもまた、神がライバルの神々に嫉妬しているという話だ。近隣の部族があがめるライバル神の多くは像だった。聖書は次の節でそれを強調している。

＊　キャサリン・ニクシーの『暗黒化する時代（The Darkening Age）』に、ゾッとする光景が記録されている。

それにひれ伏してはならない。それに仕えてはならない。あなたの神、主であるわたしは、ねたむ神であるから、わたしを憎むものには、父の罪を子に報いて、三、四代に及ぼし、……

最後の文をどう思うだろうか？　神は非常に嫉妬深いので、もしあなたがライバル神をあがめたら、あなただけでなく、あなたの子ども、孫、ひ孫までとがめるのだ。あなたがそうしたとき、彼らは生まれていなくても。かわいそうな無実のひ孫たち。

第三の戒め　あなたは、あなたの神、主の名を、みだりに唱えてはならない。主は、み名をみだりに唱えるものを、罰しないでは置かないであろう。

つまり、「神（God）」を含む罵り言葉を使ってはならないということだ。「God damn it！（ちくしょう！）」や「そんなgod-damn fool（ばか野郎）のまねはよせ！」。神がなぜそれを気に入らないのかはわかるが、それほど重い罪には思えないのでは？　裁判所の壁に掲げるほどの価値はない。つまるところ、「あなたは人を罵ってはならない」というだけのことであり、ほとんどの国で法律にはなっていない。

第四の戒め　安息日を覚えて、これを聖とせよ。

じつは神はこれを非常に重く考えていた。「民数記」第一五章では、イスラエルの人々が安息日に薪を集めている人を捕まえている。薪を集めていただけなのに！　ごく軽い罪だと、あなたは考えるだろう。だが、モーセが神にどうすべきかを尋ねたとき、神はいい加減に扱う雰囲気ではなかった。

そのとき、主はモーセに言われた、「その人は必ず殺されなければならない。全会衆は宿営の外で、彼を石で撃ち殺さなければならない」。そこで全会衆は彼を宿営の外に連れ出し、彼を石で撃ち殺し、主がモーセに命じられたようにした。

乱暴な正義だと思わないか？　あなたはどうか知らないが、私は石を投げつけて殺すのはとくに恐ろしい死刑の方法だと思う。痛みをともなうだけでなく、会衆や村全体が寄ってたかって一人をいたぶる行為には、ひどくたちの悪いところがある。遊び場での集団いじめのようだ。今日もなお一部のイスラム教国では、とくに夫でない男性と話していると ころを見つかった若い女性に対して行なわれている（それを犯罪だと真剣に考えている厳格なイスラム教徒がいるのだ)。

石撃ちはもはやキリスト教国では行なわれていない。そういう国では自分たちの聖典に忠実ではないのであって、イスラム教徒の石撃ちをする人たちは、自分たちの聖典に忠実にふるまっているのだと、皮肉る人がいるかもしれない。それにしても、第四の戒めは、国法であるかのように裁判所の壁に掲げるほど重要だと思う?

次のくだりは第四の戒めを正当化するために、神自身が宇宙とそのなかの万物を創造する六日間の労働のあと、七日目に休みをとったことを指摘している。

六日のあいだ働いてあなたのすべてのわざをせよ。七日目はあなたの神、主の安息であるから、なんのわざをもしてはならない。あなたもあなたのむすこ、娘、しもべ、はしため、家畜、またあなたの門のうちにいる他国の人もそうである。主は六日のうちに、天と地と海と、その中のすべてのものを造って、七日目に休まれたからである。それで主は安息日を祝福して聖とされた。

これは典型的な「類推」による神学的論法――「象徴」論法である。昔はこうだったのだから、それだけで、いま同じようにする理由として十分だというのだ! 実際にはもちろん、そもそも最初にそうなっていない。なぜなら宇宙は六日間でつくられたのではない。

誰も日数など数えていない。

第五の戒め　あなたの父と母を敬え。これは、あなたの神、主が賜わる地で、あなたが長く生きるためである。

これはすばらしい。両親を敬うのは良いことだ。あなたを産み、食べさせ、世話をし、学校に通わせ、その他多くのことをしてくれた人である。

第六の戒め　汝殺《なんじ》すなかれ。

この戒めは古い欽定訳版〔訳注　日本語では文語訳〕がとても有名なので、ここではそちらを用い、ほかの戒めについては現代語の訳〔訳注　日本語では口語訳〕を用いている。これが良い戒めであることに、みんな賛成するだろう。おそらくだからこそ、十戒を尊重していると主張する人の多くが、実際に思い出せる唯一の戒めなのだ。これを裁判所に貼り出すことに強い反対はないように思える。なにしろ殺人はあらゆる国の法律に反している。それどころか、第六の戒めは当たり前すぎるように思える。モーセが石板を手に山を下りてきたとき、人々がそれを読んで、「へえ、汝殺すなかれ？　なんてこった、そんなこと、考えたこともなかった。すごい！　汝殺すなかれ。うん、そうか、そうか。わかった、これを覚えておくぞ。いまからけっして人を殺さない！」と言うところを想像できる？

ところが当たり前に思えても、第六の戒めは戦争中、聖職者のお墨付きで大々的に破られる。この本ではすでに、イスラエルの民がレーベンスラウムを求めて、すでにその約束の地に住んでいた不運な民族と戦った際に、この戒めを――神からの明確な命令にしたがって――破ったことを、聖書の記述で確認した。第一次世界大戦では、イギリスの兵士たちはドイツの兵士を殺すよう命令された。そしてドイツの兵士も同様の殺せという命令を受けている。どちらの側も神が自分たちをけしかけていると思っており、それに触発され、詩人のＪ・Ｃ・スクワイアは次のように書いている。

神は戦争中の国々が歌い叫ぶのを聞いた。
「神よ、イギリスを罰したまえ」、「神よ、王を救いたまえ！」
神よ、これをしたまえ、神よ、あれをしたまえ、神よ、それをしたまえ――
「なんてことだ！」と神は言った。「仕事が山のようだ！」

殺せという命令は、あたかも神が承認しているかのように、歴史上のあらゆる戦争で兵士に下されている。

このことについて考えてほしい。殺人者を死刑にするアメリカの各州では、被告人は裁判にかけられる。裁判は数週間、数カ月続くこともあり、検察官は陪審に「合理的疑いの余地なく」有罪だと納得させなくてはならない。実際に死刑が執行される前に、何度も上訴される。最終的に、厳粛な死刑執行令状が州知事によって署名されなくてはならず、署名した人はたいていその責任をとても深刻に受け止める。そしてそのあと、執行の朝、最後の朝食に好きなものを食べるという、ゾッとする儀式がある。しかし戦争でイギリス兵がドイツ兵を殺すとき、ドイツ兵は――イギリス兵が知るかぎり――何も罪を犯していない。裁判にかけられてもいない。正式に死刑を宣告されたわけではなく、弁護士も呼べず、上訴の権利もない。兵役に志願したのではなく、自分の意志に反して、徴兵されただけかもしれない。それなのに、私たちは彼を撃つように命じられる。第二次世界大戦では、どちらの側の爆撃機乗員も、やはり裁判もなしに大勢の民間人を殺すよう命じられた。汝殺すなかれだって？

イギリスでは、自分は殺すことを拒む良心的兵役拒否者であると宣言することによって、兵役免除も可能ではあった。だがその場合、兵役免除審査局に出向いて、殺しを拒否することが正当だと説明しなくてはならず、局を説得するのはとても難しかった。簡単に説得できる方法は、親がクエーカー教徒のような不戦主義宗教の信者であることだった。しかし、自力で考え抜き、戦争の不道徳に関する博士論文を書いていたとしても、軍隊にかかわらないことを認めるよう兵役免除審査局を説得しなくてはならなかったのだ。もし成功すれば、代わりに救急車の運転をすることができた。私はおそらく説得に失敗していただろう。それでも、こっそりわざと撃ちそこなったと思う。

第六の戒めの元の意味は、「汝自分自身の部族メンバーを殺すなかれ」だったのだ（もちろん、安息日に薪を拾い集めるなど、許しがたい罪を犯さなければ！）。どうしてわかるかと言えば、神は自分の民にほかの部族を殺すよう、気ままにうれしそうに命じているからだ。

第七の戒め　あなたは姦淫してはならない。

これは単純明快に思える。どちらかがほかの人と結婚している場合、二人はセックスをしてはならない。でも、大目に見るべき状況を想像できるかもしれない。たとえば、長年破綻している不幸な結婚生活を送っている誰かが、ほかの誰かと真剣な恋に落ちた場合がそうだ。あとで見るように、どんな状況下でも道徳律は絶対で破ってはならない、と考える人もいる。規則は場合に応じて緩めるべきだ、と考える人もいる。いずれにしろ、人の性生活は個人的な問題であって、まるで国法であるかのように州の裁判所に掲げられる命令ではないと、多くの人が言うだろう。

第八の戒め　あなたは盗んではならない。

「汝殺すなかれ」と同じで、これを裁判所に掲げることに反論はないように思える。盗みは殺人と同じで、いずれにせよすべての国で法律違反だからである。

第九の戒め　あなたは隣人について、偽証してはならない。

そのとおり。隣人であろうとなかろうと、誰についても偽証してはならない。証人は宣誓したうえで、「真実を、すべての真実を、真実だけを述べる」必要があることもまた、法律の基礎である。

第十の戒め　あなたは隣人の家をむさぼってはならない。隣人の妻、しもべ、はしため、牛、ろば、またすべて隣人のものをむさぼってはならない。

「むさぼる」とは「うらやむ」のちょっと古い言い方で、うらやましく思う物や人を所有しようとするという意味合いが加わる。自分よりはるかに幸運な人をうらやましがらないのは難しいかもしれない。でも、実際に欲しいものを横取りしに行かないかぎり、けっして法律の問題ではない。たとえそうしたとしても、それは正当だと考える政治革命家もいる。国が私有財産を取り上げて、みんなのために使うのは正当と考えているのだ。私は共産主義者でも無政府主義者でもないが、彼らがどうしてそう考えるようになったのか、あなたにもわかるのでは？　自由主義者《リバタリアン》を自称する人たちは、反対方向の極端に走る。彼らは税さえも一種の窃盗、つまり貧しい人に支払うために裕福な人から盗むことだと考える。伝説の弓の名手ロビン・フッドは、まさにそのとおりのことをしており、一部の人にとっては理想主義的な魅力がある。現代版のロビン・フッドに相当する、アメリカ西部開拓時代のジェシー・ジェイムズや、アイルランドのおいはぎウィリー・ブレナンも同様だ。

　ところで、第十の戒めが隣人の妻としもべを、家や牛と同じような財産と見なしていることに注目してほしい。女性が男性の所有物、つまり財産の一部、男性が所有する「物」だという考えを、あなたはどう思うだろう？　私はひどい考えだと思うが、長いあいだ多くの文化に深く根づいており、パキスタンやサウジアラビアのような国教で認められている場所では、今日もまだ見られる。国教で認められていることが、それを「尊重する」十分に正当な理由だと考える人もいる（私はちがう）。「それも彼らの文化だ」という表現を聞いたことがあるかもしれない。そこには、それを尊重しなくてはならないという含みがある。この原稿を書いているとき、ちょうどサウジアラビアが女性に車の運転を認める法律を通過させたところだ。結婚している女性はいまだに、夫の許可なく銀行口座を開くことは許されない。夫または男性の身内――小さな男の子でもかまわない――をともなわずに外出することはできない。こんな場面を想像してほしい。大卒の大人の女性が、八歳の息子に家を出る許可を求めなくてはならないのだ。そして息子は彼女の男性「保護者」として、一緒に行かなくてはならない。こうした女性蔑視の法律は、イスラム教に端を発している。

第十の戒めがアメリカの裁判所に掲示されたら、大勢の女性がそれについて黙っていないであろうことは想像できる。少なくとも平等のために（そして時代の流れに合わせるために）、こう付け加えたい。「あなたは隣人の夫、高級車のジャガー、また博士号をむさぼってはならない」

もちろん、十戒は時代遅れだ。男性が女性を所有し、男性の最も貴重な財産が奴隷だった二〇〇〇年近く前に書かれたことで、聖書を責めるのはフェアでない。当然、私たちはそういう古き悪しき時代以降、進歩している。でも、それは核心ではないのでは？　たしかに、私たちは進歩してきた。まさにだからこそ、私たちは聖書から教訓を、「善悪」を、「べきとべからず」を、引き出すべきではないのだ。そしてもちろん、それらを聖書から引き出してはいない。もしそうしていたら、私たちはいまだに安息日に働いたかどで、あるいはまちがった神をあがめたかどで、人を石で撃ち殺しているだろう。

ルールを定めたのは誰か

こう言う人もいるだろう。「でも、それは『旧約聖書』だけの話だ。代わりに『新約聖書』から教訓を引き出そう」。そう、たしかにそれは名案かもしれない。たとえば、山上の説教でイエスはかなり良いことを言っている。『旧約聖書』とまったくちがうことはたしかだ。でも聖書のどの文が良くて、どれが悪いと、どうしてわかるのか？　どうやって決めるのだろう？　その判断は聖書以外の何かを基準にしなくてはならない。そうでなければ、「後ろの節が前の節に取って代わる」というようなルールを考えないかぎり、循環論法だ。ちなみに、イスラム教にはたしかにそのルールがあるが、残念ながら、結果的に道をまちがえることになる。預言者ムハンマドは若いころ、メッカではとても良いことを言っていた。しかしのちにメディナに移ったあと、歴史的背景に関係する理由によって、彼ははるかに好戦的になった。イスラムの名のもとに行なわれる恐ろしいことの多くは、コーランのなかでも啓示時期の早い魅力的な「メッカ啓示の節」と矛盾する――そして公式の教義にしたがってそれに取って代わる――「メディナ啓示の節」を用いて正当化されるのだ。

キリスト教の聖書にもどろう。聖書には「『旧約聖書』のことは忘れて、何が善で何が悪かを知るためには『新約聖書』だけを読め」とは書かれていない。イエスはそう言えただろう。ところが実際には、彼は正反対のことを言っている（「マタイ伝」第五章一七～一八節）

わたしが律法や預言者を廃するためにきた、と思ってはならない。廃するためではなく、成就するためにきたのである。よく言っておく。天地が滅び行くまでは、律法の一点、一画もすたることはなく、ことごとく全うされるのである。

「ルカ伝」（第一六章一七節）にもこうある。

しかし、律法の一画が落ちるよりは、天地の滅びる方が、もっとたやすい。

イエスのようなユダヤ人にとって、「律法」は『旧約聖書』の特定の書を意味していた。イエスは『旧約聖書』に対して、かなり楽観的な見方をしていたようだ。「マタイ伝」第七章一二節で彼は、私たちが黄金律と呼んでいる、かなり魅力的な行動規範（自分が他人からしてほしいように、他人にしなさい）について述べ、さらにそれが『旧約聖書』の中心的メッセージだと主張している。

だから、何事でも人々からしてほしいと望むことは、人々にもそのとおりにせよ。これが律法であり預言者である。

『旧約聖書』のなかに、黄金律によく似たようなものが見つかるのは事実だ（そして黄金律の古いバージョンが古代エジプト、インド、中国、ギリシアの文章に見つかる）。

あなたはあだを返してはならない。あなたの民の人々に恨みをいだいてはならない。あなた自身のようにあなたの隣人を愛さなければならない。わたしは主である。
（「レビ記」第一九章一八節）

しかし、これが『旧約聖書』の主たるメッセージだと言うのは大げさだ。第4章で見たように、神自身は恨みをいだくのが得意である。そして『旧約聖書』には復讐を説く節がいくらでもある。

もし人が隣人に傷を負わせるなら、その人は自分がしたように自分にされなければならない。すなわち、骨折には骨折、目には目、歯には歯をもって、人に傷を負わせた

ように、自分にもされなければならない。（「レビ記」第二四章一九〜二〇節）

ちなみにこれもまたノアの物語と同様バビロンに、この場合は「ハムラビ法典」に、直接由来するものである。ハムラビは偉大なバビロニア帝国の王であり、彼の規則書は『旧約聖書』の一〇〇〇年以上前に書かれた。

聖書の「申命記」に別のバージョンがある。

あわれんではならない。命には命、目には目、歯には歯、手には手、足には足をもって償わせなければならない。（「申命記」第一九章二一節）

これは黄金律の逆バージョンのようなものと言えそうだ。しかし、あべこべにしたものは、あまり魅力的に聞こえないのでは？　イエス自身がわざわざ『旧約聖書』からまさにその節を引用し、逆のことを言っている（「マタイ伝」第五章三八〜四一節）。

『目には目を、歯には歯を』と言われていたことは、あなたがたの聞いているところである。しかし、わたしはあなたがたに言う。悪人に手向かうな。もし、だれかがあなたの右の頰を打つなら、ほかの頰をも向けてやりなさい。あなたを訴えて、下着を取ろうとする者には、上着をも与えなさい。もし、だれかが、あなたをしいて一マイル行かせようとするなら、その人と共に二マイル行きなさい。

これほど明確でこれほど寛大な、復讐という考えの否定はないと思う。その点でイエスは時代のはるか先を、『旧約聖書』の神のはるか先を行っていた。

それでもイエス自身は復讐を超越していなかった。たとえ「トマスによるイエスの幼時物語」の恐ろしい物語は無視しても、マタイとマルコによる正典の福音書どちらにも、彼がかなり小さな復讐を、よりによっていちじくの木に行なった様子が語られている。

朝はやく都に帰るとき、イエスは空腹をおぼえられた。そして、道のかたわらに一本のいちじくの木があるのを見て、そこに行かれたが、ただ葉のほかは何も見当らなかった。そこでその木にむかって、「今から後いつまでも、おまえには実がならないように」と言われた。すると、いちじくの木はたちまち枯れた。（「マタイ伝」第二一章一八～一九節）

「マルコ伝」のバージョン（第一一章一三節）では、木にいちじくがなかったのは、季節が早すぎたからだという理由が加えられている。哀れないちじくの木よ、まだ実がなる季節ではなかっただけなのに。

キリスト教徒は当然のことながら、このいちじくの木の物語に困惑している。「トマスによるイエスの幼時物語」の話のように、現実には起こっていないと言う人もいれば、ただ無視して、『新約聖書』の魅力的な話ばかりに目を向ける人もいる。さらに、これは「象徴」だったのだと言う人もいる。いちじくの木は実在したわけではない。イスラエル国家のたとえのようなものだったというのだ。それは神学者お気に入りの逃げ道だと、あなたは気づいただろうか？　聖書のなかに気に入らないものがあれば、それはただの象徴であって、実際に起こったことではなく、メッセージを伝えるためのたとえ話なのだと言えばいい。そしてもちろん、どの節がたとえ話で、どれが文字どおり取るべきか、彼らが選ぶのだ。

正式な福音書には、イエスが『旧約聖書』の「父」がもつ意地悪さを出す箇所がほかにもある。「ルカ伝」第一九章二七節では、彼が王として君臨することを望まない人々について「ここにひっぱってきて、私の前で打ち殺せ」と言っている。さらに、ローマカトリックが聖母マリアを崇拝していることを考えると意外だが、イエス自身はあまり彼女に優しくなかった。婚礼で水をワインに変える最初の奇跡の場面で、母親が近づいてきたとき、イエスは言った。「婦人よ、あなたは、わたしと、なんの係わりがありますか（Woman, what have I to do with thee?)」。ひょっとするともとのアラム語では、欽定訳版で英語にされたものほど、冷たい言い方ではなかったのかもしれない。現代語訳のひとつの『新国際版聖書』では、「woman（女性）」の前に「Dear（親愛なる）」がつけられ、少なくとも語調がましになっている（古典学者の友人の話によると、ここの「woman」の意味で使われるギリシア語には「dear」のような意味が含まれることもあるという）。公平のために言うと、水をワインに変える話そのものはけっして事実ではないので、イエスが婚礼でマリアをないがしろにしたように見えたことも、実際にはなかった可能性が高い。

これが実際にあったかどうかは別にして、イエスが家族の大切さについて、ロールモデルにしては意外な選択をしている印象を与える話は、これだけではない。

だれでも、父、母、妻、子、兄弟、姉妹、さらに自分の命までも捨てて、わたしのもとに来るのでなければ、わたしの弟子となることはできない。（「ルカ伝」第一四章二六節）

別の場面では、イエスが群衆に話をしているとき、母親と兄弟が少し話をしたいと彼を待っていると知らされた。するとまたもや、家族をないがしろにする言動だ。

それで、ある人がイエスに言った、「ごらんなさい。あなたの母上と兄弟がたが、あなたに話そうと思って、外に立っておられます」。イエスは知らせてくれた者に答えて言われた、「わたしの母とは、だれのことか。わたしの兄弟とは、だれのことか」。そして、弟子たちの方に手をさし伸べて言われた、「ごらんなさい。ここにわたしの母、わたしの兄弟がいる。……」（「マタイ伝」第一二章四七〜四九節）

イエスは悪人というより無知であって、やり方があまり利口でないように思えるケースもある。ガダラ人の地で、イエスは「悪霊」に「つかれた」二人の男に出会った（「マタイ伝」第八章）。「彼らは手に負えない乱暴者で、だれもその辺の道を通ることができないほどであった」。たぶん精神分裂病か、何かほかの精神病だったのだろうが、イエスは当時のまちがった考え、つまり「悪霊」という考えにしたがった。彼は悪霊に男たちから出て行くように命じた。しかし悪霊には行く場所がなかったので、代わりに近くで飼われていた豚の群れに入るよう言った。悪霊はそのとおりにし、かわいそうな豚の群れは崖からまっさかさまに落ちて溺れた（いまでは「ガダラの豚」の逸話として知られる）。すてきな話ではない。もちろん私はふつう、二〇〇〇年以上前の人を精神病について知らなかったことで非難したりはしない。優秀な歴史家は、昔の人々を自分たちの時代の基準で判断することはけっしてしない。でも、イエスは一般の人ではないとされていた。彼は神と考えられていた。神はもっと分別があるはずではないのか？

イエスは悪人ではなかった。ただ当時の人だったのだ。想像してほしい。イエスがこんなふうに言っていたら、どんなに感動的なことか。「まことに、あなたたちに告げる。悪霊などいないし、男から飛び出して豚に入り込めるものなどない。この男は頭に病をもっているのだ。悪霊はどこにもいない」。イエスが弟子たちに教えていたら、もっとどれだけ感動的か——地球は太陽の周囲を回っていること、生きものはすべて親類であること、地球は何十億年も前に生まれたこと、世界地図は長い年月のあいだに変化してきたこと……。でも、そうではなかった。彼の知恵は、多くの意味で感動的ではあっても、当時の善人の知恵であって、神のものではない。善人ではあっても、ただの人間なのだ。

さらに想像してほしい。もし預言者ムハンマドが神と交信して、こう言っていたらどんなに感動するか。「ああ信者たちよ、太陽は空のほかの星と同じように星なのだ。ほかの星よりずっと近いだけである。東から昇って、空を動いていき、西に沈むように見える。だがほんとうは、そう見えるように地球が回っているだけなのだ」。悲しいかな、彼は実際にはこう言った。「太陽は泥の泉に没する」

あるいは、エリヤやイザヤがこう言ったとしよう。「聞け、イスラエルの民よ、主なる神の言葉を。主はわたしに夢で言われた。何ものも光より速く動くことはできない、と」。実際にはそうではなく、彼らは唯一の神をあがめるなど、たくさんの生き方のルールにしたがうように命じただけだ。すべて、当時の人たちの心に浮かんでいそうなことである。

聖書には――『旧約聖書』にも――魅力的なことを言っている節はいくつか見られる。ただ、私の経験では多くない。それにしても、どの節が不快だから無視するべきか、どの節が魅力的だから話題にするべきか、どうやって決めるのだろう？　答えは、私たちには決めるためのほかの基準、何が魅力的で何が不快かを判断する方法がある、ということになるはずだ。聖書そのものにはない判断の根拠だ。しかしそれなら、その基準が何であるにせよ、なぜそれを直接使わないのだろう？　聖書のどの節が良くて、どれが悪いのかを決めるための独立した基準があるなら、なぜわざわざ聖書を使うのか？

　でも、独立した基準について話すのは大いにけっこう、と言ってもかまわない。たしかにあるようだが、それは何なのか？　実際のところ、何が良くて何が悪いのか（ついでに言えば、聖典のどの節が魅力的でどの節が不快なのか）、どうやって決めるのだろう？　それが次章のテーマだ。

第6章　何が良いことか、どうやって決める？

ほかのあらゆる動物と同じように、私たち人間は数億年にわたる進化の産物である。体のほかのあらゆるパーツと同じように脳は進化してきている。それはつまり、私たちがやること、やりたいこと、正しいとかまちがっていると感じることもまた、進化するということだ。私たちは祖先から、甘いもの好きや腐敗臭への「オエッ」という反応を受け継いでいる。進化した性欲を受け継いでいる。こうしたことはどれも理解しやすい。ほどほどなら砂糖は私たちにとって良いが、多すぎると良くない。私たちはいま、あまりに多くの砂糖がすぐに手に入る世界に住んでいる。でも、アフリカの未開のサバンナで生きていた

祖先は、そうではなかった。果物は彼らにとって良いものであり、多くの果物に含まれる糖分はほどほどである。糖分を取りすぎるのは不可能だったので、人間は糖分に対する無限の食欲を進化させた。一方、腐敗臭は危険な細菌と関係している。その臭いのおかげで、私たちの祖先は腐りかけの肉を避けることができ、それには臭いへの嫌悪感がつきものだった。異性への欲望を進化させた理由は明らかだ。性欲は赤ん坊につながり、その赤ん坊は大人になったときに性欲を感じる遺伝子をもっている。私たちはみな、異性と交わった祖先の連綿《れんめん》と続く血筋を引いていて、そうしたいという欲望を受け継いでいる。

しかしここで、もっと理解しにくいことを話そう。私たちは他人に親切にしたいという欲望も受け継いでいるように思える。他人と友だちになり、ともに時間を過ごし、協力し、彼らが苦しんでいるときに同情し、元気がないときに助けたいと感じる。人が親切である進化上の理由を説明するのは難しく、進化そのものに関する章のあと、第11章まで待ってほしい。さしあたってあなたには、特別な限定された種類の親切は進化に有利に働くことを、とにかく受け入れてほしいとお願いするしかない。それは性欲のように、私たちが進化により受け継いできたものの一部である。そしておそらく、私たちの善悪の観念に入り込んでいる。遠い祖先から受け継いだ道徳的価値観を、私たちは進化させているのだ。

とはいえ、それではこの章のタイトルになっている疑問の一部にしか答えられない。私たちの善悪の観念は数世紀のうちに変化し、その変化は進化的変化というにはあまりに速すぎる歴史的な時間尺度で起きている。その点だけを見ても、進化では疑問のすべてには答えられない。

変化は数十年のうちにも見ることができる。それは「空気」のようなものと言っていい。もちろん、文字どおりの空気ではない。さまざまなものの組み合わせであり、どこか一カ所に特定できるわけではないので、「空気」のように感じられるのだ。私たちがいま生きている二一世紀の道徳的価値観は、一〇〇年前のそれとは明らかに異なる。一八世紀に広まっていたものは、さらにちがっていた。当時、奴隷の所有はふつうに人々が――残念ながら私の先祖もジャマイカで――やっていたことであり、奴隷が解放されれば文明が崩壊すると考えられていた。アメリカ合衆国第三代大統領で憲法の主要起草者だった、偉大なるトマス・ジェファーソンも、奴隷を所有していた。初代大統領のジョージ・ワシントンしかり。少なくとも彼ら（と私の先祖たち）は、奴隷を西アフリカから輸送する船のおぞましい環境を知らなかったと願いたい。

ちなみに、アフリカから奴隷を連れてきたのは欧米の白人だけではなかった。ヨーロッパ人が西アフリカから奴隷を連れ出していたのに対し、アラブ人は東アフリカから連れ出していた。赤道直下の東アフリカで主流言語となっているスワヒリ語は、アラブ人の奴隷貿易の言語として発達した。この言語にはアラビア語を語源とする単語がたくさんある。アフリカの首長は奴隷を捕らえてヨーロッパやアラブの奴隷商人に売るだけでなく、自分たちも奴隷を使っていた。意外ではないが、聖書の道徳律はその時代のものだったので、そこで奴隷所有は非難されていない。『新約聖書』にさえ、次のような言葉があふれている。

僕《しもべ》たる者よ。キリストに従うように、恐れおののきつつ、真心をこめて、肉による主人に従いなさい。人にへつらおうとして目先だけの勤めをするのでなく、キリストの僕として心から神の御旨を行い……(「エペソ人への手紙」第六章五〜六節)。

このような節もある。

くびきの下にある奴隷はすべて、自分の主人を、真に尊敬すべき者として仰ぐべきである。それは神の御名と教《おしえ》とが、そしりを受けないためである。(「テモテへの第一の手紙」第六章一節)。

私たちが今日感じる奴隷制への強い嫌悪は、「空気」の変化の一例にすぎない。やはりアメリカでとくに崇拝されている大統領、エイブラハム・リンカーンは、チャールズ・ダーウィンとまさに同時代の人であり、一八〇九年二月の同じ日に生まれている。ダーウィンは奴隷制に猛反対し、リンカーンは実際にアメリカで奴隷を解放した。それでも、ダーウィンもリンカーンも、アフリカ人が「文明化した人種」と対等であるとは夢にも思っていなかっただろう。ダーウィンの友人のトマス・ヘンリー・ハクスリーは、明らかにもっと進歩的でリベラルな思想家だった。それでも一八七一年に彼はこう書いている。

事実を認識している理性的な人間は、平均的な黒人が白人と対等であると考えないし、ましてや白人より優れているとは思いもしない。それが事実なら、黒人の障害がすべて取り除かれ、私たちの突顎《とつがく》の親類が誰にも抑圧されることなく、公平無私な状態になったとき、頭脳が大きく顎が小さいライバルと、噛みつき合いではなく思考力の争いできちんと張り合えるとはとても思えない。文明ヒエラルキーの最上部は、肌の浅黒いいとこたちの手の届かないところにあることはたしかだ。

そしてリンカーン大統領は一八五八年にこう述べている。

それなら、私はこう言おう。白人種と黒人種の社会的・政治的平等をもたらすことに賛成ではないし、賛成したこともない。黒人を有権者や陪審員にすることにも、黒人に被選挙権を与えることにも、黒人が白人と結婚することにも、賛成ではないし、賛成したこともない。そしてさらに、白人種と黒人種には身体的相違があり、そのせいでこの二つの人種は、社会的・政治的に平等な立場でともに生きることは永遠にできないと思う、と言いたい。彼らがそのように生きられないかぎり、彼らが一緒にいるあいだは立場の上下がなくてはならず、私はほかのみなと同じで、白人を上位にすることに賛成である。

実際に一九世紀の「空気」がどうだったにせよ、現在、私たちの周囲にはまったくちがうものが漂っている。リンカーンとダーウィンとハクスリーを人種差別主義者として非難するのは、無能な歴史家である。彼らはその時代の人間としては、人種に偏見のない考え方に最も近かった。彼らは一九世紀を生きていたのだ。もし二世紀後に生まれていたら、先ほどの二つの引用文にゾッとしていただろう。

「空気」が変わる時

道徳的価値観の変化に気づくのに、一世紀もの時間は必要ない。第5章で、第二次世界大戦中に双方の爆撃機の乗員が大勢の民間人を殺したという話をした。当初、爆撃はイギリスのコヴェントリーやドイツのエッセンのような、武器が製造されている工業中心地にねらいを定めていた。当時の爆撃は不正確で、民間人の犠牲者は避けられなかった。しかし双方とも、民間人の死に腹を立てた。そして報復だ。戦争の後期には爆撃がエスカレートし、民間人の犠牲は副作用ではなく目的になってしまった。一九四五年二月一三日から一五日にかけて、イギリスの七二二機とアメリカの五二七機が強烈な爆発物と焼夷弾によって、ドイツの美しい古都ドレスデンを壊滅させた。民間犠牲者の正確な数はわからないが、現実的な推定値は一〇万人以上とされている。これは一九四五年八月に原子爆弾が広島と長崎それぞれで出した犠牲者の数に匹敵する。

ここで時間を半世紀進めよう。残念ながらまだ戦争はあるが、二度の世界大戦ほどひどくはない。二度の湾岸戦争でまだ民間の犠牲者は出たが、それは不運なミスとされている。政治家たちは謝罪し、それは「巻き添え被害」、つまり「合法的」な軍事目標への攻撃の副作用だと説明した。電子技術が進歩したということでもある。衛星制御その他のナビゲーションシステムを備えた誘導ミサイルが、搭載されたコンピューターに打ち込まれた特定のターゲットまで、正確に航行できる。ドレスデン、ロンドン、コヴェントリーの無差別絨毯《じゅうたん》爆撃とは大ちがいだ。しかし、道徳的風潮の「空気」も先へ進んだ。第二次世界大戦では、ヒトラーやイギリス空軍元帥アーサー・「ボンバー」・ハリス卿のような人々は、積極的に民間人を殺したがった。現代のボンバー・ハリス（彼のイギリス空軍におけるもっと口の悪いあだ名は「虐殺者《ブッチャー》ハリス」だった）と言える人々は、コースからはずれたミサイルによって民間人が殺されたときには、わざわざ謝罪する。

女性に初めて選挙権が認められたのがどれだけ最近のことか、あなたは信じられるだろうか？　イギリスで女性が男性と同じ選挙権を得たのは、つい最近、一九二八年のことである。一九一八年まで女性は誰も投票できなかったし、そのあとも、三〇歳以上で特定の資産や教育水準を満たす人だけに限られていた。当時、男性は二一歳で投票できた。アメリカが（合衆国内のいくつかの州にようやく追いついて）女性に投票を認めたのは一九二〇年。フランスの女性は一九四五年まで投票できなかった。スイスの女性は一九七一年までかかった。サウジアラビアに関しては、聞いてくれるな！　要は、数十年のうちに何かが変わり、何かの「空気」が広まるので、人々が受け入れられると思うことが変化する、ということだ。しかも劇的な速さで。イギリスで女性が選挙権をもつ前、親切で礼儀正しい男性たちが、こんなことを言うのが聞かれた。「女性はかわいらしくて美しいが、論理的に考えることはできない。まちがいなく、彼女たちに投票を認めるべきではない」。現在、そんなことを誰かが言うところを想像できるだろうか？

私の友人で心理学者のスティーヴン・ピンカーは、『われらが本性の善なる天使たち（The Better Angels of Our Nature）』という（タイトルはエイブラハム・リンカーンからの引用）大部の名著を書いた（邦訳は『暴力の人類史』上下、幾島幸子・塩原通緒訳、青土社）。彼は、私たち人間が数百年、数千年のあいだに、どれだけ感じよく優しくなり、暴力や残虐性を減らしてきたかを示している。その変化は遺伝的進化とは関係なく、宗教とも関係ない。「空気」が動いてきたのだ。そしてその動きは、大ざっぱに見て同じ方向に向かっている。

それは同じ方向だが、「正しい」方向なのか？　そう、私はそう思うし、あなたもそう思うだろう。それはただ単に、私たちが二一世紀の人間だからなのか？　その判断はあなたに任せよう。ただ思い出してもらいたいのは、第4章で私たちが『旧約聖書』の神のキャラクターを非難したとき、私たち自身の世紀の基準で行なっていたことだ。優秀な歴史家はエイブ・リンカーンを人種差別主義だと軽蔑しないのと同じように、そういう歴史家は神というキャラクターを、彼が行なったじつにひどい仕打ちのせいで悪く思うことに躊《ちゅう》躇《ちょ》するだろう。たとえば父親の手によってイサクに行なったこと。そしてエフタの娘にしたこと。かわいそうなアマレク人など、イスラエル人が手に入れるように言われた「乳と蜜の流れる地」を所有していた部族にしたこと。『旧約聖書』に出てくる神というキャラクターは、当時の「空気」だった道徳的価値観を行動で示しているにすぎない。しかし、彼の道徳的価値観（あるいはむしろ、『旧約聖書』を書いたバビロンのユダヤ人の道徳的価値観）は大目に見るとしても、だからといって、現代の私たちは物事をちがうやり方でやると固く決意するのをやめはしない。そして私たちには、人間をあの時代に引きずりもどそうとしている現代の原理主義者に抵抗する権利がある。

たしかに道徳的価値観は「空気」であって、一〇〇年どころか一〇年で変化する。でも、人間が過去にどう進化してきたかは別にして、その価値観は実際どこから来るのだろう？　それに、なぜ変わるのか？　変化はある程度、カフェやパブや夕食の食卓での普通の会話から生まれる。私たちは互いから学ぶ。すごいと思う人についての話を聞いて、その人を手本にしようと誓う。私たちは小説や新聞の意見記事を読み、ポッドキャストやユーチューブのスピーチを聞き、そして心を変える。議会や国会は問題について議論し、少しずつ法律を変える。裁判官の法律の解釈も、数十年のあいだに変化する。

一九六七年より前、イギリス人男性はこっそり同性愛行為をしたかどで、刑務所に行く可能性があった。しつこい偏見との数十年にわたる戦いのすえ、現在、ゲイであることは普通になり、ゲイの人々はほかのどんな人とも同じ敬意を求めることができる。二〇世紀にさまざまな国で、（婦人参政権運動家たちによる長く厳しい戦いのあと）次から次へ女性に選挙権を与えたのは議会の票だった。そして議会の議員が、有権者や選挙区から受け取る手紙の影響を受けたことはたしかだろう。裁判所における裁判官や陪審員による決定もまた、数十年のあいだに意見の風潮が動くことに貢献する。さらに、学術書や大学での講義を忘れてはならない。道徳的価値観や善悪の研究をする学者――道徳哲学者――もまた、「空気」の変化に影響を与える。この章の締めくくりに、道徳哲学について少し話そうと思う。

アビーとコニーによる会話

道徳哲学にはさまざまな学派がある、ここではそのうちの二つについてだけ、話そうと思う。絶対主義者と帰結主義者だ。両者は、道徳的判断の下し方についての考えがまったくちがう。絶対主義者は、とにかく正しいことと、とにかく悪いことがあると考える。問答無用。正と不正は単なる事実であり、明白な真実だ。平行線はけっして交わらないという、幾何学の一文のようなものである。絶対主義者はこう言うだろう。「別の人間を殺すことは、とにかく明らかにまちがっている。つねにそうであり、これまでも、これからも、つねにそうである」。そういう絶対主義者は、胎児は人間だから中絶は殺人だと言うだろう。受精卵というたった一個の細胞にさえ、それを当てはめる絶対主義者もいる。

帰結主義者はちがう方法で善悪を判断する。その呼び名から想像できるように、彼らは行動の帰結（結果）を気にする。たとえば、中絶の結果として誰が苦しむのか？ あるいは、中絶を許さない結果として誰が苦しむのか？ 絶対主義者《アブソリューティスト》（アビー）と帰結主義者《コンシクエンシャリスト》（コニー）の会話を想像しよう。これで道徳哲学者の考え方と議論の仕方が理解できる。プラトンやヒュームの時代から現代まで、哲学者たちは仮想の論争者どうしの対話をつくり上げるのが大好きなので、私はその例にならっている。途中、哲学者がどんなにすばやく現実から「思考実験」に移るかに注意してほしい。

アビー　汝別の人間を殺すなかれ。受精卵は人間よ。だから、たった一個の受精卵細胞でも、中絶は殺人なの。女友だちがこう言うのを聞いたことがある。「女性は自分自身の体に対して、やりたいことをやる絶対的な権利がある。それには、体内の胎児を殺す権利も含まれる。本人だけの問題よ」。でも、胎児は別の人間なの。たとえ彼女の体内にいても、胎児にも権利がある。

コニー　あなたの女友だちの主張は、あなたの主張と同じように絶対主義論ね。彼女は自分自身の体や体内にあるすべてに対して「絶対的権利」があると言っている。それが絶対主義。ただし、あなたのとはちがう種類の絶対主義ね。そしてあなたと彼女は逆の結論に達している。でも、私は帰結主義者よ。誰が苦しむのかを問うの。お望みなら、受精卵を人間と定義してもかまわない。でも神経系がないから、苦しむことはできない。中絶されたこともわからないし、不安も後悔も感じない。女性には神経系がある。望まないし育てられない赤ちゃんを産まされたら、苦しむおそれがある。あなたもあなたの女友だちも絶対主義者なの。彼女は「女性の権利」絶対主義者。あなたは宗教的絶対主義者（だと私は思う）。私は彼女の結論に同意するけれど、理由はちがう。彼女の理由は絶対主義的で、自分自身の体に起こることをコントロールする女性の絶対的権利を主張している。私の理由は帰結主義的。胎児は苦しまないけれど、女性は苦しむから。

アビー　そうね、胎児が苦しまないことには同意するけど、胎児は成熟した人間になる可、能性がある。中絶はその機会を奪っているの。あなたはそれを「帰結」と呼ばないの？　ひょっとすると、私も一種の帰結主義者かしら？　いずれにせよ、私の女友だちよりはそうね！

コニー　ええ、胎児から将来の人生を奪うことは帰結だと思う。でも、細胞はそのことを知らないし、痛みも後悔も感じないのだから、なぜ気にするの？　それに、あなたはセックスを拒むたびに、未来の人間から生きる機会を奪っているのよ。それについて考えたことがあった？

アビー　一見、それは悪くない指摘ね。でも、精子が卵子と出合う前には、特定の人間は存在しない。セックスを避けることによって、個人から存在を奪っているわけではない。だって、そのときあるのは何百万という精子と、何百万という個人候補だから。精子が卵子の中に入ってはじめて、特定の個人が始まるわけ。ほかに人はいない。その瞬間より前、無数の命がありえたのだから、一人の人間から存在を奪っているのだとは言えないわ。

コニー　でも、受精卵を「特定の個人」と言うなら、分割できない存在を意味しているわよね。一卵性双生児って知っている？　一個の受精卵から始まるの。そのあと分かれて、二つの個体になる。今度、一卵性双生児に会ったら、どちらが「人」でどちらがゾンビか、訊いてみない？

アビー　うーん、そうか、あなたの言いたいことがわかったわ。ドキッとするくらい、いいところを突いている。話題を変えたほうがいいかも。行動の結果として苦しむのが誰かだけを気にするのなら、食人は何が悪いの？　食べるために人を殺さないにしても、すでに死んでいて、苦しまない人を食べるのはどうかしら？

コニー　その人の友だちや身内はいやがるわ。それが帰結よ！　重要な帰結。人の気持ちは大切よ。でも、神経系のある人にしか気持ちはない。どうしても赤ちゃんはもう欲しくない妊婦には気持ちがある。彼女のなかの胎児にはないわ。

アビー　食人の例を続けるけど、死んだ人に友だちも身内もいないとしましょう。あなたが彼を食べる結果として、誰も苦しまないわ。

コニー　えっと、私たちはいわゆる「滑りやすい坂」論に到達したのね。急勾配の丘のてっぺんにいるときは大丈夫と感じるかもしれないけれど、もし丘を下る坂が滑りやすくて、そこに一歩踏み出したら、何が起こったか知らないうちに、気がつけば一番下まで滑り落ちているの。そこまで行きたくないのに。気にかける友だちも身内もいなくて、すでに死んでいる人を私が食べても、誰も苦しまないという点であなたは正しい。それは滑りやすい坂のてっぺんね。でも、私たちの社会には、食人に対するタブーが深く根づいている。私たちは考えそのものにむかつく。もし一度そのタブーを破ったら、滑りやすい坂を滑り落ちる危険がある。どこで終わるか、誰にわかる？　食人に対するタブーは役に立つ。丘のてっぺんにある安全用の手すりみたいに。

アビー　そうね、滑りやすい坂の論法は中絶にも当てはめられる。たしかに、初期の胎児は中絶されることに痛みも恐怖も悲しみも感じない。でも、誕生の瞬間とその先にも滑りやすい坂がある。もし中絶を許したら、誕生の瞬間を過ぎても滑りやすい坂を滑り落ちるリスクはないのかしら？　ついには一歳の赤ちゃんを、邪魔だからというだけで殺すことにはならない？　それから二歳の子を？　そんなふうに続くのでは？

コニー　ええ。たしかにそれは一見、公正な主張に思える。でも、誕生の瞬間はとてもいい仕切り――とてもいい「安全用の手すり」なの。私たちは習慣的に尊重している。ただし、ずっとそうだったわけではない。古代ギリシアでは、赤ん坊が生まれるまで待って、一目見てから、育てたいかどうかを決めたの。もし望まなければ、寒い山に置き去りにして死なせたわけ。ありがたいことに、今ではそんなことは行なわれていないけれど。ところで、妊娠後期の中絶はとてもまれで、母親の命を救うなど、急を要する理由がなければ行なわれない。大部分は初期の中絶よ。それに、自分が妊娠していると女性が知りもしないうちに、自然に流産してしまう胎児がたくさんいることを、あなたは知っていた？

でも実際、私は滑りやすい坂の論法を使ったけど、正直言って、仕切りとか線とかをまとめて捨てたいと思う。あなたたち絶対主義者は、人間と人間でないもののあいだに明確な線を引きたがる。胎児は受胎の瞬間、つまり精子が最初に卵子と合体したとき、人間になるの？　それとも誕生の瞬間？　それともそのあいだのいつかかしら？　その場合、正確にいつ？　私としては、質問を変えたほうがいいと思う。「いつ人間になるのか？」ではなく、「いつ痛みを感じ、感情を抱けるようになるのか？」。そしてそれは突然、瞬間的に起こるわけじゃない。だんだんになるの。

進化にも同じことが言える。私たちは食べるために人を殺さない。食べるためにブタは殺す。だけど、私たちはブタの親類よ。つまり、私たちの祖先とブタの祖先をさかのぼってたどれば、遅かれ早かれ、共通の祖先に行き当たる。私たちの系図をさかのぼりましょう。ブタとの共通の祖先にたどり着く途中で、猿人とか、サルに似た生きものなんかを通過する。では、そうした猿人の種が絶滅しなかったとしましょう。どの時点であなたは「そうね、そのとおり、これから先はもう人間じゃない」と言うのかしら？あなたは人間と動物とのあいだに絶対的な線を引きたがる絶対主義者。でも私は、やらないですむなら、線などまったく引かないほうを好む帰結主義者なの。この場合、私の疑問は「この生きものは人間？」ではなく、「この生きものは苦しむ？」。そして私としては、ほかの動物より苦しむ動物がいると思う。ちなみに、ブタもその仲間よ。

アビー　あなたの道徳論は論理的に思える。でも、あなただって、なんらかの絶対主義的信念で始めなくちゃならない。あなたの場合、ただ「苦しみを引き起こすのは悪いことだ」と言って始めている。それについて理由は示していない。

コニー　そうね、それは認める。でも、「苦しみを引き起こすのは悪いことだ」という私の絶対主義的信念のほうが、「私の聖書にそう書いてある」というあなたの絶対主義的信念より、理にかなっていると思う。もし誰かがあなたを拷問しようとしたら、あなたはすぐさま私の考えに賛成すると思うわ。

アビーとコニーの議論をあなた自身で続けてかまわない。道徳哲学者がするような議論の仕方をあなたにわかってもらえるくらい、突っ込んで説明できているといいのだが。あなたはおそらく、例外がないわけではないが、絶対主義者はたいがい信心深いのだと想像しただろう。十戒は明らかに絶対主義的だ。一連のルールにしたがって生きるという考えそのものが、たいていは絶対主義なのだ。

とはいえ、信仰のない哲学者がルールにもとづく道徳律を考え出すことはできる。義務論者と呼ばれる道徳哲学者の学派は、単純に聖典に書いてあることを調べる以外の根拠にもとづいて、ルールを正当化できると考えている。たとえば、偉大なるドイツ人哲学者のイマヌエル・カントは、定言命法と呼ばれるルールを明言している。「普遍的法則になるべきだと切望できる格率《マキシム》（実践的原則）のみにしたがって行動せよ」。ここでのキーワードは「普遍的」である。たとえば盗みを促すようなルールは、もし普遍的に採用されたら、つまり誰もが盗みを働いたら、誰も得をしないのだから排除される。盗人は正直な被害者が多数派を占める社会でしか成功しないのだ。もし誰もがつねにうそをついていたら、うそをつくことに意味はなくなる。それと照らし合わせるべき信頼できる事実がなくなるからだ。現代の義務論は、「無知のベール」の陰で道徳のルールを考案するべきだと提案する。自分が裕福か貧しいか、有能か無能か、美しいか醜いか、知らないふりをしよう。そうした事実は、仮想の「無知のベール」で隠されている。そして、自分が勝ち組になるのか負け組になるのか知ることができないと仮定して、生き方のよりどころにしたい価値体系を考え出そう、というわけだ。義務論は興味深いが、宗教についての本でこれ以上話すのはやめておく。

子宮のなかでいつ「人」が始まるのかという議論は、大いに宗教的な議論だ。多くの宗教的伝統は、ある決定的な瞬間に不滅の魂が体に入ると考える。ローマカトリック教徒によれば、それは受胎の瞬間だ。『生命の賜物（Donum Vitae）』と題されたカトリックの教理書には、次のように述べられている。

> 卵子が受精したときから、父のものでも母のものでもない、ひとつの新しい命が始まる。それは独自に成長する新しい人間の命である。それがすでに人間でなかったら、けっして人間にはならない。……受精のときから、人生の冒険は始まる。

誰であれこれを書いた人は、「一卵性双生児」議論のことを考えなかったようだ。帰結主義者のコニーが使った論法だ。

たぶんあなたのご推察どおり、私はアビーよりコニーに共感している。だが正直言って、帰結主義の思考実験がまずい方向につながる場合もある。炭鉱作業員が落石で地下に閉じ込められたとしよう。彼を助けることはできるが、それには多額の費用がかかる。そのお金でほかの何ができるだろう？　世界中で腹を空かせている子どもたちのための食糧に使うことによって、もっと多くの命を救い、もっと多くの苦しみを減らすことができる。真の帰結主義者は、かわいそうな炭鉱作業員のことは運に任せ、泣いている彼の妻子のことは気にしないはずでは？　かもしれないが、私はそうはしない。私は彼を地下に置き去りにするなど耐えられない。あなたはどうだろう？　でも、純粋に帰結主義の根拠にもとづいて、彼を救出する決定を正当化するのは難しい。不可能ではないが、難しい。

ここでこの章の主要なテーマにもどろう。何が良いことか、私たちはどうやって決める？　私はかなりの時間を道徳哲学に費やしてきたが、道徳哲学は道徳観が変わる経路のひとつにすぎない。ジャーナリズム、夕食時の会話、議会や学生会館での議論、司法判断などとともに、道徳哲学は「空気」を変えるのに貢献し、そのおかげで二一世紀の道徳律は、たとえば奴隷制が良いことと考えられていた一八世紀の道徳律とはちがっている。ちなみに、この傾向が止まる明確な理由はないようだ。二二世紀の道徳はどんなふうになるだろう？

私たちが信心深くてもそうでなくても、現代の道徳律は聖書の道徳律とまったくちがう。コーランの道徳律ともちがう。ありがたい。そして天の偉大な隠しカメラは、善良であるべき立派な理由でないことはたしかだ。だから、私たちはみな「善良であるために神が必要」という考えを捨て去るべきなのだろう。

それはつまり、みんな神を信じることを断念するべきだということなのか？　いいえ。その理由だけでは足りない。私たちが善良であるために神は必要なくても、神は存在するかもしれない。神は私たちが第4章で出会った神のように、私たちの道徳基準からすると邪悪かもしれないが、だからといって、神が存在しえないことにはならない。何かの存在を信じる唯一の理由は証拠だ。どんな種類の神や神々であれ、その存在を裏づける証拠、揺るぎない証拠はあるのか？

あなたは第1章で挙げたたくさんの神々も、私が触れなかったさらにたくさんの神々も、ほとんど信じていないのではないだろうか。第2章と3章を読んで、聖書やコーランのような聖典は、どんな神であれ信じるべきもっともな理由を示していないと納得しただろう。第4章、5章、6章を読んで、私たちが善良であるために宗教が必要だという考えと決別したのではないだろうか。しかしそれでもあなたは、なんらかの大いなる力、世界と宇宙をつくった、そして――おそらく何よりも――私たちを含めた生きものをつくった、なんらかの創造的知性を信じることにこだわるかもしれない。私も一五歳ごろまで、そのような信念に固執していた。なぜなら、生きているものの美しさと複雑さに深く感動していたからだ。とくに、生きているものはまるで「設計《デザイン》された」にちがいないように見えることに、感銘を受けていた。私がようやくすべての神々を見限ったのは、進化について学び、なぜ生きものがデザインされたように見えるか、その真の説明を知ったときだ。その説明――チャールズ・ダーウィンの説明――自体が、説明対象である生きものと同じくらい美しい。しかしそれを展開するのには時間がかかり、この本の第2部の大部分を割くことになる。それでも、そんな壮大なテーマを十分に扱うには足りない。あなたが進化に関するほかの本に目を向けるようになるくらい、面白いと思ってくれることを願う。

第2部　進化とその先

Evolution and beyond

第7章　きっとデザイナーがいるはず？

　アフリカのサバンナにいるガゼルを想像してみてほしい。全速力で駆けるチーターから逃げようと命がけで走り、最後になるかもしれないうめき声をあげている。たぶん私と同じように、あなたもガゼルに同情するだろう。でもチーターには、腹を空かせた子どもたちがいる。獲物を捕まえられなければ、チーターもその子どもたちも飢え死にする。そちらのほうが、ガゼルの即死よりつらい死かもしれない。

　ガゼルとチーターが走る映像を――もしかしたらデイヴィッド・アッテンボローのドキュメンタリー番組で――見たことがあるなら、どちらの動物もいかに美しく、いかにエレガントにデザインされているように見えるかに気づいただろう（口絵の図2参照）。両者の筋肉質でバネのような体は、全身で「速さ」を表現している。チーターの最高速度は時速一〇〇キロほどである。時速一一〇キロという報告もあるが、推進させる車輪などなく、自分の脚だけで走ることを考えると、たいした偉業である。しかもチーターは止まっている状態から時速一〇〇キロまで、三秒で加速できる。これはフェラーリや（「狂気モード」の）テスラがやるようなことだ。

チーターは長時間その走りを続けることはできない。長距離ランナーのオオカミとはちがってスプリンターなのだ。オオカミのほうが最高速度は遅いが（時速六〇キロくらい）、しつこいので最終的に獲物を捕まえる。チーターは、最後の短距離走で捕まえられるくらい確実に近づくまで、獲物に忍び寄る必要がある。短距離でないと疲れてしまい、獲物をあきらめざるをえない。ガゼルはチーターほど速くは走れないが（やはり時速六〇キロくらい）、「跳ね回る」（左右に身をかわす）ので、全力疾走するチーターには捕まえるのが難しい。とくに、すごい速さで疾走しているときには、向きを変えるのが難しいからだ。

ほかのレイヨウ類と同様、ガゼルも追いかけられているときに「プロンク」する。プロンク（または「スタット」）とは、空中高く跳ね上がることだ。それでは進むのが遅くなり、エネルギーを消費してしまうにちがいないので、意外な行動である。チーターに対する合図なのかもしれない。「わざわざ私を追いかけるのはやめなさい。私は空中高く飛び跳ねられる、強くて適応力のあるガゼルだ。つまり、私はほかのガゼルより捕まえにくいということでもある。あなたは群れの別のガゼルを追いかけたほうがいい」。ガゼルがこんな主張を考え出しているわけではない。なぜかは理解していなくても、その神経系が飛び跳ねるようにプログラムされているだけである。飛び跳ねるか跳ね回るか、いずれにせよ、ガゼルは全力疾走するチーターが疲れて止まらなくてはならないくらい長時間、捕まらずに逃げることができれば安全だ。もう一日だけは。

　チーターもガゼルもみごとに「設計《デザイン》」されているように思える。チーターの背骨は深く弓なりにたわみ、次の瞬間には逆にぐいと突き出して倍近く曲がり、ものすごいスピードで駆ける脚に力を与える。肺はその大きさの動物にしては異常に大きい。鼻の穴と気管も同じで、大量の酸素をすばやく取り込む必要があるからだ。心臓もとくべつ大きい。酸素を豊富に含む血液を、死に物狂いで働く筋肉に大量に送り出すためである。それにしても、その心臓の大きさはさておき、そもそも心臓があるという事実、複雑な四つの部屋に分かれたポンプがあるという事実が、十分に注目に値する。心臓のポンプ機能の数学は巧妙に考え抜かれている。難しすぎて私自身理解できないので、説明しようとも思わない。

　どうしてこんな複雑なものが生まれたのだろう？　数学に詳しい天才がデザインしたにちがいないのでは？　答えはたとえ意外でも断固たるノーだ。その理由についてはあとの章で見ていこうと思う。

それでも設計者《デザイナー》はいない

ここで、チーターの眼について考えよう。用心深く身をかがめ、こっそり忍び寄るあいだ、獲物を凝視している。あるいはガゼルの眼は、待ち伏せしている大型のネコ科動物を探して慎重にあたりを見渡す。脊椎動物の眼はカメラだ。もっと言えばデジタルカメラである。なにしろ、その後部にあるのはフィルムではなく、たくさんの光に反応する小さな細胞を備えた網膜だ。その細胞は、光に反応する半導体素子のフォトセルと言っていい。フォトセルはそれぞれ、一連の神経細胞経由で脳とつながっている。脳内には網膜の「マップ」がいくつかある。ここで言う「マップ」は、脳の隣どうしの細胞が網膜内の隣どうしのフォトセルと、左右も上下も順序どおりにつながっている対応パターンを意味する。

カメラとの類似点はそれだけではない。瞳孔は虹彩（眼の色つきの部分）に付着する特別な筋肉によって、広がったり狭まったりする。鏡で自分の眼を見ればわかる。懐中電灯を左眼に向けて、鏡のなかの右眼を見ながら点灯させよう。瞳孔が縮むのがわかる。自動カメラでも、「虹彩絞り」（この名称も眼に由来）が適量の光を入れるために、ちょうどいい分量だけ開いたり閉じたりする。太陽が出てくると開口部を狭める。太陽が沈むとそれを広げる。眼の虹彩とそっくりだ。ちなみに、瞳孔は人間のそれのように丸い必要はない。ガゼルの瞳孔は横長のスリットだ。ネコの瞳孔は明るい光のなかでは縦長のスリットだが、光の量が減ると広がって円になる。重要なのは、瞳孔とその周りを取り囲む筋肉が眼に入る光の量をコントロールする、ということである。ちなみに、網膜上の像は上下逆さまだ。なぜそれが問題ではないのか、わかる？　なぜ、世界は上下逆さに見えないのだろう？

やはりカメラと同じように眼にもレンズがあって、近くの物体に焦点を合わせたあと、遠くの物体に――もちろんその中間のどんなものにも――再び焦点を合わせられる。それをするのに、カメラと魚眼はレンズを前後に動かす。チーター、ガゼル、人間、その他の哺乳動物の眼のやり方は、それほどわかりやすくない。レンズとつながった特別な筋肉を使って、レンズそのものの形を変えるのだ。カメレオンの眼は左右別々に旋回する小さい回転台にのっていて、両眼の焦点を（レンズを押しつぶす手法ではなく、魚やカメラの手法を使って）別々に合わせることができる。そしてハエのようなターゲットまでの距離を、それに焦点を合わせるためにレンズをそれぞれどれだけ動かさなくてはならないか測ることによって判断する。その瞬間、ハエは自分に何がぶつかったのかわからない。実際には、ハエに――猛スピードで――ぶつかったのはカメレオンの舌である。その舌は（驚いたことに）カメレオン自身の体長よりも長く、ねばねばした銛のように爆発的に放たれる。そのあと舌の銛は、先端にくっついた不幸な虫とともに巻き取られる（口絵の図3参照）。

カメレオンとチーターには共通点がある。どちらも十分な近さまで、ゆっくり慎重に獲物に忍び寄る。何をするために十分な近さか？　チーターの場合、最後の爆発的な全力疾走のためだ。カメレオンの場合にも、一種の最終的な全力疾走がある。しかし全力疾走するのは舌だけで、そのあいだ体はじっと動かない。チーターは時速〇キロから一〇〇キロまで三秒で加速することを覚えているだろう？　カメレオンの舌はその三〇〇倍の加速をする。でも、現実には時速一〇〇キロに達するずっと前にハエに当たる（または当たり損ねる）。なにしろその舌は、カメレオンの全長より少し長いだけ（だけ！）なので、それほどの驚異的な加速度でも、時速一〇〇キロに達する時間はない。

またもや、すべてが設計者《デザイナー》を必要とするかのように思えないだろうか？　またもや実際にはそうでない。その理由を次章以降で見ていく。

カメレオンの舌が正確にどう働いているのかは、長いあいだちょっとした謎だった。初期には、舌は水圧によって膨張するのであって、ペニスの勃起のようなものだが、もっとずっと速いだけだという意見もあった。水圧法はハエトリグモ（かわいい小さい生きもので、絹状の糸で地面と自分を結びつけてから空中へと飛び上がる）も使っている。血液が勢いよく脚へと送り出され、その脚が突然まっすぐに伸びて、クモを上へと放つのだ。チョウやガの舌も同じように働く。グルグル巻きになっていたものが、水圧によってほどけて伸びる。まるで「ピロピロ笛」――息を吹き込むと、誰かの顔に向かって紙筒が伸びて、たいがいピーと音が鳴るおもちゃ――のようだ。

この昔の水圧説はほとんどまちがっていたが、正しいことがひとつあった。カメレオンの舌は中が空洞なのだ。しかしそこには圧力のかかる液体が入っているだけでなく、舌骨突起《ぜっこつとっき》と呼ばれる、長くて硬くて滑りやすい大釘のようなものも入っている。当然、舌のほうが舌骨突起よりずっと長い。そのため休んでいるときの舌は、突起の周囲に折りたたまれて口の中に収納されなくてはならない。突起には強い筋肉がぐるぐる巻きついている。この事実から自然に、舌の働き方について次の説が出てきた――これもまちがっていたが、実態に近づいてはいた。舌骨突起の周囲の筋肉が縮むと、滑りやすい中空の舌が望遠鏡のように折りたたまれた状態から外に押し出される、という説である。オレンジの種を押しつぶすと飛び出すようなものだ。それがほぼ実態である。しかし厳密に言うとちがう。

実際には、どんな筋肉も、カメレオンの舌による「狂気」の加速を実現するほど、すばやく収縮することはできない。それほどの加速のためには、筋肉によって提供されるエネルギーが前もって蓄えられ、あとで解き放たれる必要がある。それは投石器の働き方だ。石弓や長弓もしかり。あなたの腕の筋肉は、矢をものすごいスピードで投げることはできないが、しなやかな弓ならできる。あなたの腕の筋肉がゆっくり弓の弦を後ろに引くとき、筋肉のエネルギーが曲がっている弓に蓄えられる。そしてあなたの指が離れるとエネルギーが突然解き放たれ、矢はあなたが投げられる速さと強さをはるかに超えて飛び出す。エネルギーはもともとあなたがゆっくり引く筋肉から生まれた。そのエネルギーは弓に蓄えられたまま、放出は先送りされ、そして突然起こる。投石器では、あなたの腕の筋肉のエネルギーは伸ばされたゴムに蓄えられる。

カメレオンの舌はどうやってエネルギーの力を蓄えるのか？ 舌骨突起の周りの筋肉は、たしかに舌を突き出すためのエネルギーを供給する。しかし投石器や弓と同じように、そのエネルギーは蓄えられる。筋肉と滑りやすい舌骨突起のあいだにある、伸び縮みする「鞘《さや》」に蓄えられる。最終的にばね仕掛けが解き放たれ、銛の舌が飛び出すとき、「オレンジの種を押しつぶす」のは、筋肉そのものではなく伸び縮みする鞘なのだ。鞘のおかげで、筋肉が直接「オレンジの種」を押しつぶす場合より、飛び出すスピードははるかに速い。

ところで、舌は銛のように鋭くない。その代わり舌の先にこぶのようなものがついている。そのこぶには粘着力があり、吸盤がついている。これが哀れな虫に吸いつき、虫は後引筋と呼ばれる別の筋肉群によって、カメレオンの口の中へと巻き取られる。こぶは比較的重い発射物だが、舌のほかの部分はブラブラ揺れるロープに似ている。こぶは「弾道を描いて」移動する。つまり、いったん放たれると、もはやカメレオンのコントロール下にはないということだ。投石器から放たれる石や、弓から放たれる矢のように。あるいは、実際の銛のほうがはるかによく似ている。銛はカメレオンの舌と同じように、発射装置にロープでつながっている。「大陸間弾道ミサイル（ＩＣＢＭ）」がそう呼ばれるのは、ひとたび発射されるとあとは慣性で飛行するからだ。ターゲットにたどり着くように、飛んでいる途中でコースを修正される誘導ミサイルとは対照的である。

ちなみに、ゆっくり収縮する筋肉からのエネルギーを、すばやく放出できるゴムに蓄える投石器の仕掛けは、バッタやノミのような跳ねる昆虫でも使われている。その「ゴム」はレシリンと呼ばれるすばらしい物質で、伸縮素材としてはゴムより効率的だ。つまり、蓄えられたエネルギーのうち、最終的に放出に使えるエネルギーの割合が高い。効率的は、熱というかたちで失われるエネルギーの量が少ないことを意味する専門用語である。破れることのない熱力学の法則により、一部が失われるのは避けられない。でも、ここではこの法則を取り上げるスペースがない。とくにみごとなのは、エネルギーをゴムに蓄える「石弓」の仕掛けを使って、シャコ類がパンチを浴びせるところだ。長さ数センチしかない動物にしては、じつに驚くべきパンチなのだ。二本の前肢が発達してハンマーか棍棒のようになり、それが時速八〇キロのスピードで獲物を打ちのめす。その加速度は二二口径の拳銃から出る弾丸に匹敵する。しかもそれは――弾丸とはちがって――水中でのことだ！　繰り返しになるが、それはゴムに蓄えられたエネルギーを使って実現されている。直接的な筋力では、そんなスピードは出せない。

カメレオンの舌の話には、もう少し続きがある。たとえば、舌骨突起そのものが、舌が飛んでいくのを助けるために前に動く。まるで弓を手にしたあなたが、クリケットの速球投手のように的に向かって走り、走りながら矢を放つようなものだ。それにしても、これまでの話で十分に、あなたは「きっと誰かがこの驚異的な装置全体を設計したにちがいない」と考えるかもしれない。またもや、それはまちがいだ。なぜ私はこう言いつづけ、すべてはあとの章で説明されると言いつづけているのかって？　なぜなら、この章は説明される必要のある問題を提示しているからだ。そしてそれは大きな問題である。私としてはそれを軽く考えたくない。だからこそ、この章をまるごと問題そのものに充てて、そのうえで解決策に取りかかろうとしているのだ。これから見ていくように、このような大きな問題を解決できるくらい重大な理論は、自然淘汰による進化だけである。

カメレオンは驚くべき舌と旋回する眼をもっているが、もっと有名なのは、背景に合わせて色を変えられることだ。有力な意見に合わせて考えをくるくる変える政治家は、「政界カメレオン」と皮肉られることがある。色を変えるスキルでは、カメレオンはヒラメやカレイのようなカレイ目《もく》の魚に匹敵する。しかしどちらもタコとその一族にはとてもおよばない。カメレオンとカレイは色をゆっくり、数分の時間尺度で変える。タコやイカ、総称して頭足類は、秒単位で色を変える。

頭足類は、地球上で見つかるほとんど何よりも異星人に近い。腕が（タコなら）八本、または（イカなら）一〇本、口の周りに生えている。その腕は驚くほど細かく操られ、いつもくねくねと動いているが、骨格がないことを考えるとなおさら注目に値する。頭足類は真のジェット推進力をもつ唯一の動物であり、それを使って、とくに急いで逃げるときに後ろに向かって泳ぐ。そしてあっという間に、しかも非常に複雑なパターンで、自身の色を変えることができる。だからこそ、この章に登場しているのだ。とても興味深いことに、頭足類のそのやり方は現代のカラーテレビの仕組みに似ている。

テレビをつけて、強力な拡大鏡でその画面を注意深く見てみよう。（横線が入っている）旧式のものでなければ、画面全体が何百万という「ピクセル」と呼ばれる小さな色つきの点《ドット》で覆われていることがわかる。どのピクセルも赤か青か緑で、どのピクセルもテレビの電子装置に制御されて、ついたり消えたり、明るくなったり暗くなったりする。あなたがくつろいでテレビを見ているときには、ピクセルは小さすぎて見えない。しかしソファーから見えるすべての色は、どんなに微妙なものでも、ピクセルの明るさの組み合わせによってつくられている。もし拡大鏡でよく見れば、画像の明るくて白い部分では、赤と青と緑三色すべてのピクセルが明るく光っているのがわかる。画像の赤い部分では――当然――赤いピクセルだけが明るい。画面の青い部分と緑の部分もしかり。黄色は赤と緑のピクセルを一緒につけることでつくられ、紫は赤と青を混ぜることで、茶色はもっと複雑な混合でつくられる。灰色は白に似ていて、三色すべてがつくが、明るさが弱い。テレビの電子装置が、何百万というピクセル一個一個の明るさを猛スピードで制御することによって、動画全体をつくる。コンピューター画面も同じ仕組みだ。

そして、驚くべき報告がある。タコやイカの皮膚も同じことをしているのだ。皮膚全体が生きたテレビ画面になっている。とはいえ、ピクセルが電子装置によって制御されているわけではない。代わりに、各ピクセルは着色色素の小さな袋である。テレビ画面と同じように三色あるが、赤と青と緑ではなく、赤と黄色と茶色だ。テレビのピクセルと同じように、三タイプは別々に制御され、皮膚表面の色のパターンが変わる。

頭足類のピクセルは、テレビ画面のそれよりはるかに大きい。なにしろ色素の袋であり、袋をそんなに小さくはできない。どうやって制御されているのだろう？　袋はそれぞれ、色素胞《クロマトフォア》と呼ばれる器官の内部にある。魚にも色素胞はあるが、その働きは異なる。頭足類の場合、袋の壁が伸び縮みする（伸び縮みの話が面白いほどよく出てくる）。色素胞には筋細胞がくっついている。筋肉はヒトデの腕のような形になっているが、その数は五本だけではなく二〇本近い。その筋肉が収縮すると袋の壁が伸びるので、色素の面積が広がり、色素胞はその色素の色を呈する。筋肉が緩むと、伸び縮みする壁のおかげで袋が小さい点になるので、色は遠くから見えなくなる。色の変化は筋肉によって制御され、筋肉は神経に制御されているので、そのスピードは速い。変わるのにおよそ五分の一秒だ。テレビ画面ほど速くはないが、カメレオンの皮膚よりはるかに速い。カメレオンの場合、色素胞はホルモンで制御されている。ホルモンは血液中をつねにゆっくり移動する物質だ。

色素胞を引っ張る筋肉の収縮は神経によって制御され、神経は脳内の細胞によって制御される。そして神経は高速だ（テレビの電子部品ほど速くはないが）。理論的には、もしイカの脳細胞をコンピューターに接続すれば、チャップリンの映画をイカの皮膚に上映できるのだ。これまでそんなことをした人はいないが、イカ自身は近いところまで行っていて、その美しい色の変化の波は、空をどんどん過ぎていく雲のようだ。ウッズホール海洋生物学研究所のロジャー・ハンロン博士は、この章の草稿を読んでくれたのだが、彼はチャップリンの連想を読んで、こんな話をした。彼は同僚とともに死んだイカを手に入れ、ひれの神経をｉＰｏｄにつないだというのだ。もちろんひれに聴覚はないが、接続したケーブルが音楽の強いビートに合わせて電気パルスを発し、それが色素細胞を刺激した。結果はまさにクレイジーで、ディスコのライトショーのようだ。ユーチューブで「Insane in the Chromatophores（ノリノリの色素胞）」を検索してみてほしい。

頭足類の色についての話はもっと面白くなる。まず、物に色がつく方法には二通りあることを知ってほしい。ひとつは色素（インク、染料、塗料）によるもので、それが太陽光から一部の色を吸収して、ほかの色を反射する。もうひとつの方法は、いわゆる「構造着色」、つまり「イリデセンス」によるものだ。イリデセンスは太陽光を吸収しない。それを反射して、見られる角度と光が表面に当たる角度によって変わる色をつくり出す。シャボン玉がきれいな虹色をチラチラと光らせるのはイリデセンスで（イリスはギリシアの虹の女神）、同じものは水に浮かんだ油の薄い膜に見られる場合もある。イリデセンスはクジャクが美しい色をつくり出す方法である。さらにはモルフォチョウと呼ばれる熱帯の光る青いチョウも同じだ。

ところで、イカは抜け目がなく、構造着色についても手抜かりなしだ。色素胞の層の下に、いわゆる虹色素胞《イリドフォア》の層がある。虹色素胞は色素胞のように形は変えないが、モルフォチョウの羽のようにカラフルにきらめく。たいてい青か緑で、赤や黄色や茶色の色素胞には出せない輝きだ。そして虹色素胞の全部ではないが一部は、色を変えることもできるのだが、そのやり方は色素胞とちがう。

虹色素胞は色素胞の下の別の層にある。そのため光をカラフルに反射する背景をつくっているわけで、上層の明滅する色素胞によって、多かれ少なかれ覆われる可能性がある。これは色素胞と虹色素胞に加えて、虹色素胞のさらに下の層にいわゆる白色素胞《ロイコフォア》がある。白色だ。雪片のように、白いのはすべての波長の光を反射するからである。鏡のようにきちんときれいに反射させるのでなく、四方八方に散乱させるのだ。

頭足類は皮膚の色や模様の変化を何に利用するのだろう？　おもに身を隠すための擬態である。ほぼ瞬時に色素胞を操って、背景を模倣することができる。この技は、ロジャー・ハンロンがカリブ海のグランドケイマン島沖でダイビングをしていたときに撮影した、美しい映像で見ることができる。図4と5（以下、番号つきの図はカラー口絵参照）は、その映像からのスチル写真だ。ハンロン博士が茶色い海藻の茂みに向かって泳ぐと、彼が驚き喜んだことには、「海藻」の一部が幽霊のような不気味な白い色に変わった。そのせいでそれが背景から「浮かび上がった」ように思えたが、その瞬間、そいつは捕食志願者の視界をさえぎるために暗褐色の墨を吐き、そして泳ぎ去った。その動画は見る価値が十分にある。「Roger Hanlon octopus camouflage change（ロジャー・ハンロンのタコの擬態変化）」を検索してみてほしい。

とくに注目すべきは、頭足類は色覚をもたないのに、背景の色を模倣できることだ。背景が何色かをどうやって知るのだろう？　確かなことは誰にもわからないが、皮膚全体、あるいは少なくとも皮膚の数カ所に、見る器官のようなものがあると思われる証拠がある。この器官は本物の眼ではない。真の像を結ぶことはできない。皮膚全体に分布している網膜のようなものだ。そして網膜さえあれば、背景の色の有効な画像が得られる。

頭足類が驚異的な変色の力を利用するのは、擬態のためだけではない。敵を威嚇《いかく》するのに使うこともあれば、求愛のために使うこともある。別の映像でロジャー・ハンロンは、イカの一種がライバルのオスを威嚇するのに白色を、メスに求愛するのに茶色の縞模様を使っているのをとらえている（図６を参照）。彼の映像で、オスのイカはほかのオスを撃退するために右半身を白くし、同時に、そばにいるメスを喜ばせるために左半身を茶色い縞模様にしている。これも見る価値がある。「Roger Hanlon（ロジャー・ハンロン）」「Signaling with skin patterns（皮膚の模様で合図を送る）」で検索してみてほしい。オ

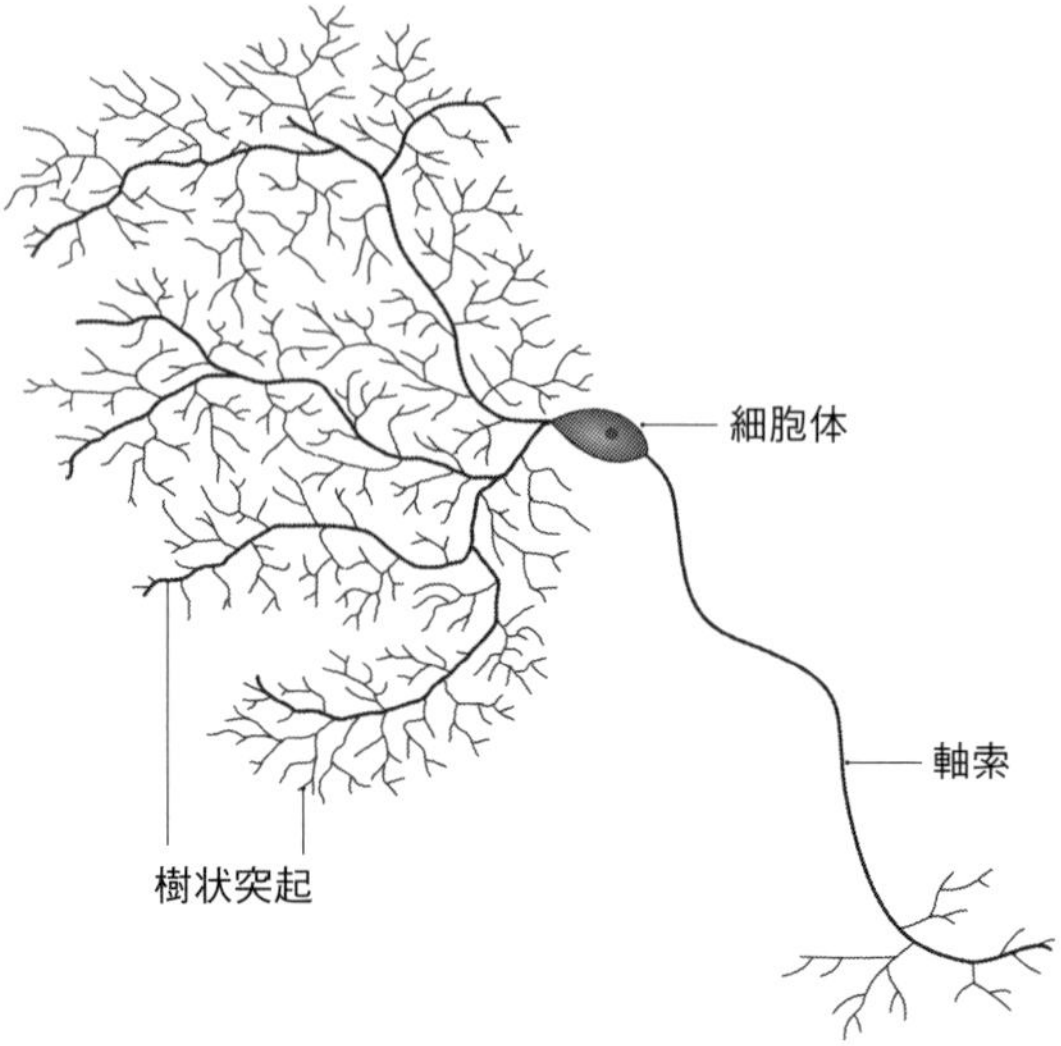

スが一瞬で色を変えているのがわかる。数秒後、メスがオスの反対側に移動すると、メスが求愛の模様だけを見るように、自分の色を反転させている。頭足類は皮膚のきめも変えられる。畝《うね》をつくったり、とげとげを出したり、突起をつくったりするのだ。

「animal camouflage（動物の擬態）」でウェブを検索すれば、身を守るための目覚ましい（逆に言えばまったく目立たない）擬態の例がごまんと見られる。クモ、カエル、魚、鳥、そしてとくに昆虫（図8にいくつか例を示した）。とても衝撃的なのは、細部へのこだわりだ。どれも感心するほど腕の立つ創造的なアーティストの作品のように見える。そして「創造的」という言葉で、この章の主題に引きもどされる。動物や植物についてのすべて、あらゆるもののあらゆる細部は、どうしても誰かがデザインし、つくり出したかのように見える。そして人々は何世紀にもわたって、第1章で見たような無数の神々のどれかが、その誰かだと——まちがって——考えてきた。または、とくにどの神というわけではなくても、名のない創造主だ、と。

私にとって、擬態よりもさらに印象的なのは生きている体の複雑さである。先ほど、それを眼について検討した。脳はさらに驚異的だ。あなたの脳には約一〇〇〇億個の神経細胞——不規則に枝分かれしている木の根のようなもの（前ページの図を参照）——があり、それぞれが互いにつながり合っているおかげで、私たちは考え、聞き、見、愛し、憎み、バーベキューを計画し、巨大な緑色のカバを想像し、将来の夢を見ることができる。

次ページに示すのは、あなたの体のたった一個の細胞内で進行している化学反応の図である（あなたには合計およそ三〇兆個の細胞がある）。丸い点は化学物質、それを結ぶ線は物質間の化学反応を示している。細かい名称は気にしないでほしい。でも、示されている化学反応が止まったら、あなたは死ぬだろう。

ここで、体から取り出した一個の分子、ヘモグロビンについて考えてみよう。これが血を赤くしていて、酸素を肺から、たとえば疾走するチーターやガゼルの躍動する脚の筋肉など、必要とされる場所に運ぶためにきわめて重要だ。いまこの瞬間、六〇垓（6×10^{21}）個以上のヘモグロビン分子が、あなたの血流中でうねっている。以前の著書のために計算

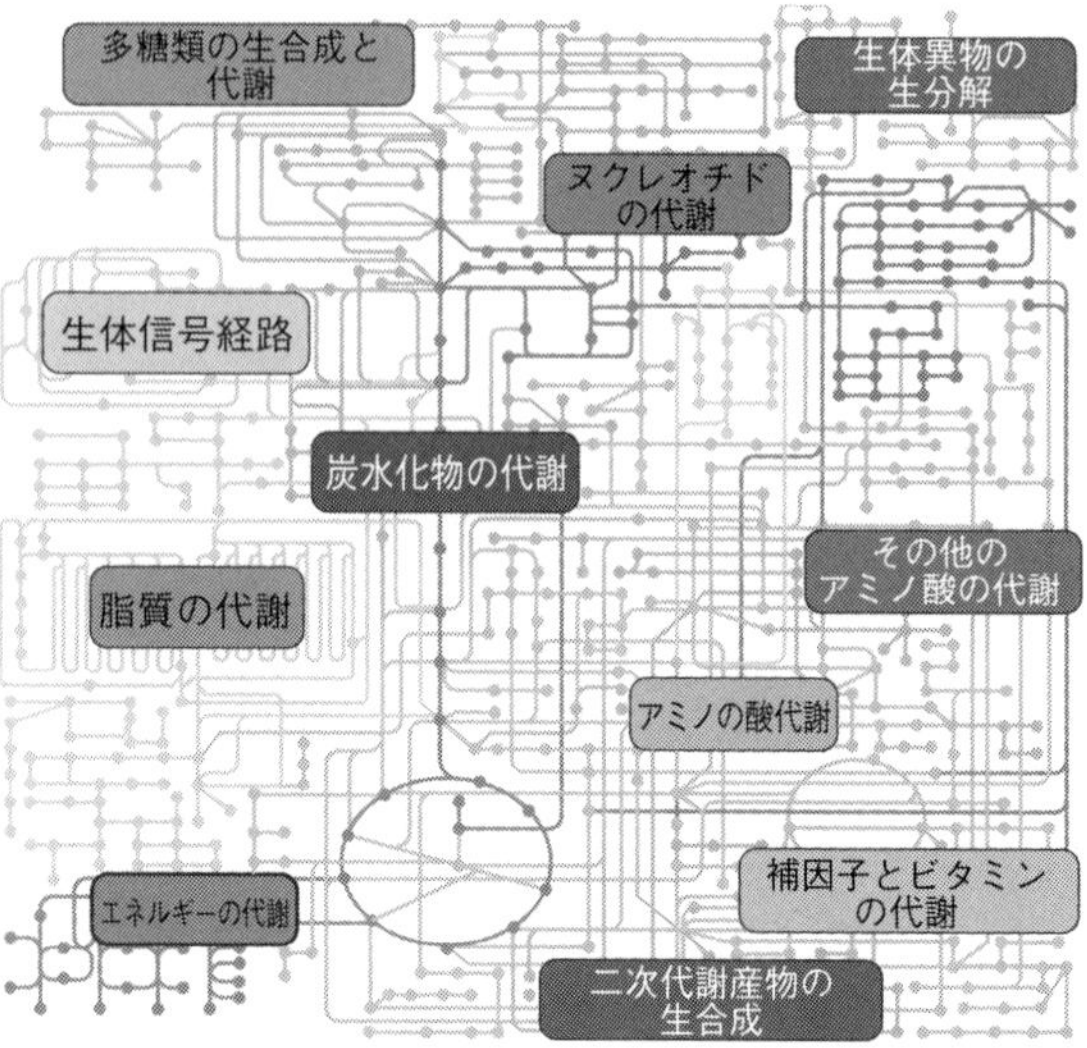

してみたことがある。ヘモグロビン分子は人体のなかで毎秒四〇〇兆（4×10^{14}）個つくられ、同じ速度で壊されているのだ（ばかばかしいほど莫大な数字に思えるが、誰もそれを否定しない）。

圧倒されるほどの複雑さだ。またもや、デザインの達人が必要に思える。そしてまたもや、そうではないことをあとの章で明らかにする。それはかなりの難題であり、この章の目的は先ほども言ったように、その難題がどれだけ大きいかを示すことである。そのうえで、それに答えるべく前進する。

美しさも同じような難題を突きつける。クジャクの尾の燃え立つような――おもにイリデセンスの彩色による――美しさは、メスを引き寄せるのに役立つ。人は美しさのための美しさだとさえ言うかもしれない。でも、美しさは「機能的」でもありえる。役立つのだ。航空機は美しいと思うが、美しさはその流線形から来ている。飛ぶ鳥も同じ理由で美しい。走るチーターもしかり――ガゼルはそうは思わないだろうが。

体に隠された欠陥

この章を読んで、あなたは生きものの「デザイン」が完璧だという印象をもったかもしれない。ただ美しいだけでなく、目的にぴったりかなっている。その目的は、物を見ること、色を変えること、獲物をとらえるために速く走ること、獲物にならないように速く走ること、木の幹そっくりに見えるようにすること、メスクジャクにとって魅力的に見えるようにすること、何でもありだ。もし完璧だという印象をもったのなら、私としてはあなたをちょっとがっかりさせることになる。とくに生きものをひと皮むいてみると、そこには欠陥が見えるし、その欠陥はいろいろなことを雄弁に物語る。語られるのは進化の歴史だ。もし動物が知性によってデザインされたのなら、そんな欠陥ができるとはとても思えない。実際、目的にまったくかなっていないものもあるのだ。

海底で暮らす魚の中には、体の平らな種がいろいろいる。平らになる方法は二通りある。わかりやすいのは、腹ばいになって、体が上からぺちゃんこになるように、横向きに広がる方法だ。エイの仲間はそうしている。そうした魚は整地ローラーの犠牲になったサメと考えられる。ところがカレイやヒラメはちがう。横向きに寝ているのだ。左側を下にする場合もあれば、右側を下にする場合もある。でもエイのように腹ばいではない。

もしあなたが魚なら、横向きに寝るのには問題があると思うだろう。片方の眼は海底に接するので、まったく役に立たない。エイにはその問題は起こらない。眼は平らになった頭の上にあるので、物を見るのに役立つ。

では、カレイやヒラメはその問題をどうしたのか？　片眼が海底にぴったりつくのではなく両眼が上を向くように、ひん曲がった頭骨をつくり出したのだ。私は「ひん曲がった」と本気で言っている（図7を参照）。良識あるデザイナーならこんな配置にはしなかっただろう。デザインの観点からはどう考えてもおかしいのだが、そのピカソが描いたような顔には歴史がはっきり現れている。エイの祖先のサメとはちがって、こうしたカレイ目の祖先はニシンのように直立した刃《やいば》の形をしていた。左眼は左を、右眼は右を見ていた。優秀なデザイナーが望むようなシンメトリーの形だ。その魚が海底で生きるように生き方を変えたとき、デザイナーがするように最初からやり直すことはできなかった。代わりに、すでにそこにあったものを修正するしかなかった。だから頭をゆがめたのだ。

歴史を雄弁に物語る欠陥の有名な例が、もうひとつある。あなたの眼の網膜だ。前後が逆になっている。脊椎動物すべてに同じことが言える。網膜がフォトセルでできたスクリーンのようなものであることは、すでに説明した。そのフォトセルは神経細胞によって脳

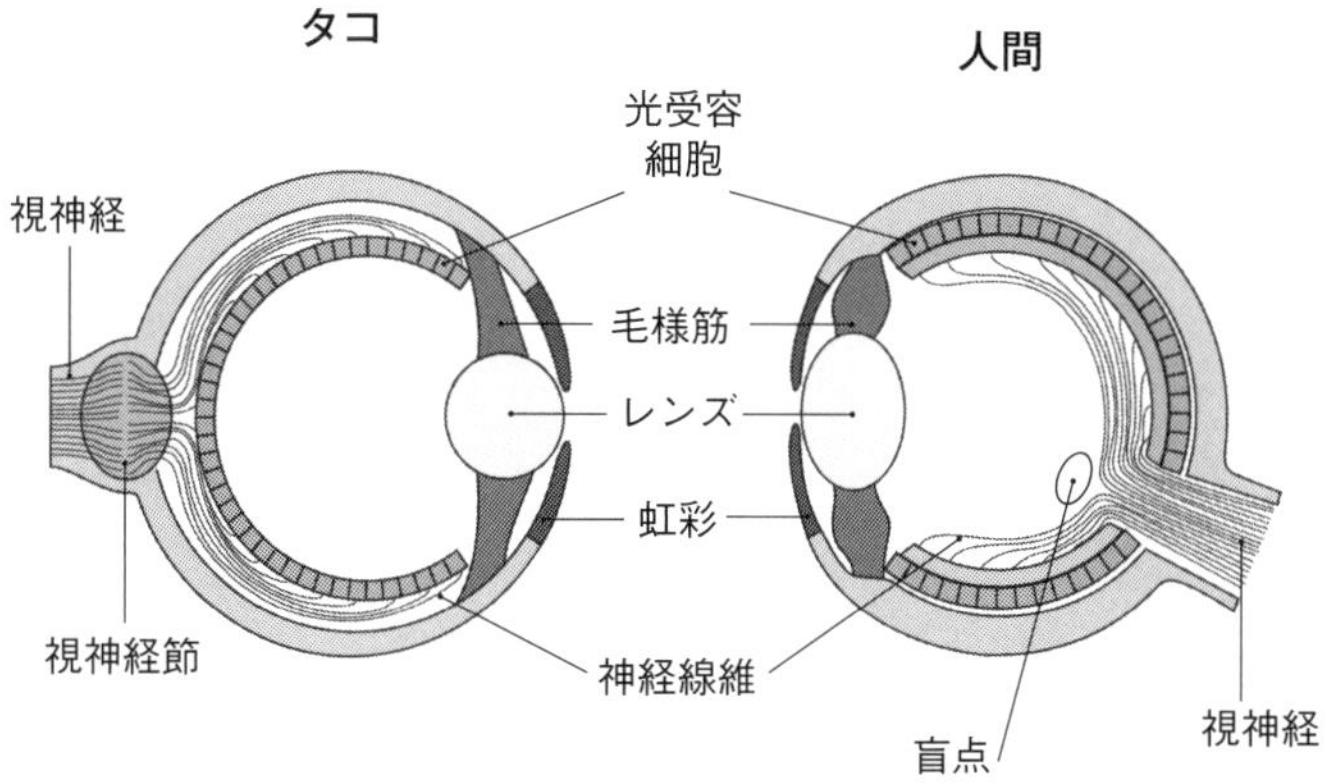

とつながっている。妥当なつなげ方は、タコのような頭足類が使っている方法だ。フォトセルを脳につなげている「ワイヤー」は、合理的に網膜の背面から出ている。

ところが、脊椎動物の網膜から出ているワイヤーはそうでない。フォトセルは後ろ向きに配線されている。フォトセルはどれも光と逆の方向を向いているのだ。では、フォトセルからのワイヤー――神経細胞――はどうやって、脳にたどり着くのだろう？　フォトセルから情報をもらいながら網膜の表面を伝い、網膜の中心に集まって、そこからなかに潜り込み、そして脳に向かうのだ（上の図を参照）。ワイヤーがなかに潜り込む場所は「盲点」と呼ばれる。なぜなら、当然そこは光に反応できないからだ。なんてばかげた配列だろう！　ヘルマン・フォン・ヘルムホルツという著名なドイツ人科学者

（医師であり草分け的な物理学者でもあった）はかつて、もしデザイナーが脊椎動物の眼を提示してきたら、自分はそれを突き返しただろうと言った。実際、彼がそうするのはしごくもっともだが、私たちはみんな物が見えるのだから、眼は十分に機能を果たしているのだ！　網膜の表面を伝う神経細胞の層は薄く、十分に透明なので光を通せる。

悪いデザインの例で私が気に入っているのは、反回喉頭神経《はんかいこうとう》だ。喉頭はのどにある発声器である。喉頭には脳から喉頭神経と呼ばれる神経が二本入ってきている。そのうちの一本、上喉頭神経は、脳から喉頭へと直接つながる合理的な配線になっている。もう一本の反回喉頭神経はおかしい。脳から首に下りて、（終点であるべき）喉頭を素通りし、胸まで行っている。そこで心臓につながる大動脈の一本に巻きついたあと、首にまっすぐもどり、ようやく喉頭で終わる。下に行くときに止まるべきだった場所だ。キリンの場合、それはものすごい遠回りになる。私はテレビ番組で、動物園で不運にも死んだキリンの解剖を手伝ったとき、それを目の当《ま》たりにした。

これもまた明らかに下手なデザインだが、歴史を見れば、なるほどとうなずける。私たちの祖先は魚だった。魚には首がない。魚で反回喉頭神経に相当する神経は反回ではない。えらの一つに入っている。脳からそのえらへの一番の近道は、大動脈に相当する動脈の後ろを通ることだ。それはけっして遠回りではない。歴史上のちに首が長くなり始めたとき、神経は少し遠回りをするようになった。世代を追うごとに、首は着実に伸びていく。そして遠回りもどんどん長くなっていった。（次章で見る）進化による変化の働き方のせいで、キリンの祖先で遠回りがばからしいほど長くなったときでさえ、動脈を飛ばすようにルートを完全に変えるのではなく、ただひたすら長くし続けたのだ。デザイナーなら、喉頭の数センチそばを通り過ぎて、長い長い首を下りていく神経を一目見れば、こう言っただろう。「ちょっと待てよ、これはばかばかしい」。ヘルムホルツならこれも突き返しただろう。私たちの精子を精巣からペニスに運ぶ管も同じだ。いちばん直接的なルートで行くのではなく、腹まで上って、腎臓から膀胱に尿を運ぶ管に巻きつく。この場合も、進化の歴史を調べさえすれば、遠回りもつじつまが合う。

「私たちにははっきり記された歴史」という表現が私は好きだ。私たちは寒い思いをすると、鳥肌が立つ。なぜなら、私たちの祖先は毛深かったからだ。彼らは寒いとき、体毛がとらえる空気の層を厚くするために、体毛を逆立たせた。セーターをもう一枚着るようなものだ。私たちはもう全身が毛で覆われているわけではない。でも、毛を逆立てさせる小さな筋肉は、まだ残っている。そしていまだに——無駄に——寒さに反応して、存在しない毛を逆立てさせる。私たちの毛深かった歴史が、私たちのむき出しの肌にはっきり記されている。鳥肌に記されているのだ。

この章の締めくくりに、チーターとガゼルにもどりたい。もし神がチーターをつくったのなら、優秀な殺し屋をデザインするのに多大の努力を払ったのは明らかだ。すばしこく、獰猛《どうもう》で、目ざとく、爪と歯は鋭く、非情にガゼルを殺すことに専念する脳をもっている。ところが同じ神が同じだけの努力を、ガゼルをつくるのにも注いだ。ガゼルを殺すチーターをデザインするのと同時に、チーターから逃げるエキスパートとなるようにガゼルをデザインすることに勤《いそ》しんだのだ。どちらも相手のスピードに負けないように、すばしこくした。神はどっちの味方なのかとあきれずにはいられない。彼は両方に苦しみを積み重ねているように思える。彼はスポーツ観戦を楽しんでいるのか？　おびえたガゼルが必死に走り、そしてチーターに引き倒されて、息ができないほどきつく喉を抑えられるところを見て、神が楽しんでいると考えると恐ろしくないか？　それとも、狩りに失敗したチーターが、哀れっぽく鳴く子どもたちとともに、ゆっくりと飢え死にするのを見たいのか？

もちろん、無神論者にとってそれは問題ではない。いずれにしても神を信じていないから。とはいえ、おびえたガゼルや飢え死にするチーターをかわいそうに思う。でも、その状況は説明が難しいとは思わない。ダーウィンの自然淘汰による進化論がそれを――そして生命に関するほかのあらゆることを――完璧に説明してくれる。そのことについて、これからの三つの章で見ていこう。

第8章　ありえなさへの歩み

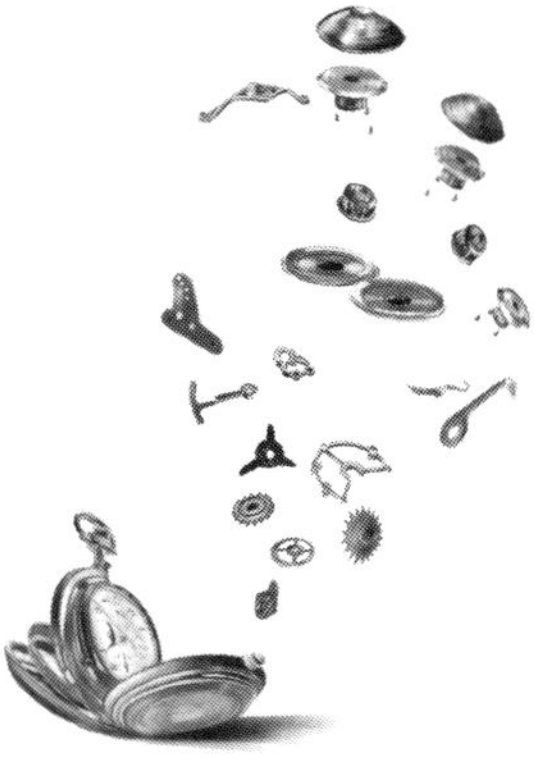

前章では、美しくつくられた動物の、驚くような例をたくさん示した。不思議なほど完璧な色のパターンを見せたり、生き残るために一見巧妙なことをやったりするのだ。それぞれの物語のあとに私は問いかけた。「すべてを考え出し、つくり出したデザイナー、創造主、賢い神がいたにちがいないのでは？」。こうした例――そしてありとあらゆる動植物について語れる同じような話――で、デザイナーがいたはずだと人々が考えるのは、いったいなぜなのだろう？　答えはありえなさであり、ここでそれがどういう意味かを説明する必要がある。

何かがありえないというのは、偶然にそれが起こる可能性は非常に低いという意味だ。一〇枚のコインをよく振ってテーブルの上に投げ出したとき、一〇枚すべてが表を向いていたら、あなたは驚くだろう。起こりうることだが、可能性は非常に低い（あなたが数学好きなら、どれだけ可能性が低いかをはじき出したいと思うかもしれないが、私は「非常に」だけで満足だ）。同じことを一〇〇枚のコインでやった場合、やはりすべてが表を向くことはかろうじてありえる。しかし可能性はごくごくごく低いので、あなたはトリックではないかと疑うだろう。そしてあなたは正しい。それがトリックだったことに、私は財産をすべて賭けてもいい。

コイン投げの場合、特定の結果が出る確率の低さは簡単に――いや、少なくとも明快に――計算できる。人間の眼やチーターの心臓のありえなさのような場合は、コインの場合のように算数を使って正確に計算することはできない。でも、それはとんでもなくありえないと言うことはできる。眼や心臓のようなものは、運だけでは生まれない。このありえなさのせいで、人はそれが設計《デザイン》されたにちがいないと考えたくなるのだ。そしてこの章と次章での私の務めは、その考えがまちがいであると示すことだ。設計者《デザイナー》などいなかった。眼のありえなさか、眼をデザインできる創造主のありえなさか、どちらについて話しているにしても、ありえなさは残る。ありえないものの問題には、何かほかの解決策がなくてはならない。そしてその解決策は、チャールズ・ダーウィンによって示された。

生きている体にとってコイン投げに相当するのは、たとえば眼の断片を無作為に寄せ集めることだろう。レンズが眼の前方ではなく後方につくかもしれない。網膜はレンズの後ろではなく、角膜の前に来るかもしれない。虹彩絞りは合理的な働きとは逆に、暗いときに閉じて、明るいときに開くかもしれない。または、トランペットの音を聞いたときに閉じて、タマネギのにおいを感じたら開くかもしれない。レンズは透明ではなく真っ黒で、どんな光も通さないかもしれない。もしその断片を無作為に寄せ集めたら、そもそも網膜やレンズや虹彩絞りが出来上がらないかもしれない。

また、無作為に寄せ集められたチーターを想像してみよう。四本の脚がすべて片側についてしまい、横倒しになってばかりかもしれない。後ろ脚が後ろ向きについてしまって、前脚と逆方向に駆けるので、チーターは前にも後ろにも動かず、自分を半分に引き裂こうとするかもしれない。心臓は気管につながって、血液ではなく空気を送り出すかもしれない。歯が口の中ではなく、尻についているかもしれない。完全に寄せ集めのチーターには、脚や心臓や歯がまったくないかもしれない。それはただのごちゃ混ぜ、ピューレ状のチーターのスムージーになってしまう。

こんな話はとにかくばかげている。あなたもきっと気づいているはず。チーターの断片を寄せ集める方法は無数にあり、そのうちのごく一部しか、走れない。目が見えない。においを嗅げない。子を産めない。それどころか生きていられない。カメレオンの断片を寄せ集める方法は無数にあり、そのうちのほんの一部しか、舌を虫に向けて突き出せない。動物や植物が偶然に生まれないことは一目瞭然だ。チーターやガゼルを、カメレオンの舌が動く電光石火の速さを、イカの色素胞や虹色素胞や白色素胞を、説明するのが何であるにせよ、偶然であるはずがない。無数の動植物すべての真の説明が何であるにせよ、運であるはずがない。それについてはみんなが賛成するだろう。では、代案はどういう説明なのか?

残念ながら、この時点で多くの人が道を踏みはずしてしまう。偶然の運に代わる説明はデザイナーだけだと考える。もしあなたもそう考えるなら、仲間は大勢いる。チャールズ・ダーウィンが一九世紀半ばに登場するまで、ほとんど誰もがそう考えたのだ。しかしそれはまちがい、まちがい、まちがいだ。まちがった代案であるだけではない。そもそも代案ではない。

とくに有名なまちがった主張は、ウィリアム・ペイリー牧師が一八〇二年の著書『自然神学(Natural Theology)』で述べたものだ。荒れ野に散歩に出て、たまたま石ころを蹴飛ばすところを想像してみなさい、とペイリー大執事は言う。あなたはその石に感動することはない。たまたまそこにあっただけで、たまたま、そのでこぼこで不規則でごつごつした形になっただけだ。石はただの石。ほかのどの石より目立ってはいない。でも、今度は石ではなく、時計につまずいたと考えよう、とペイリーは言う。

時計は複雑だ。裏ぶたを開けると、たくさんの歯車やばねや細くて小さなねじが見える（もちろんペイリーの時代に現代のデジタル腕時計はなかった。機械式の時計、美しく精密につくられた仕掛けを備えた懐中時計だ）。それらの連動する部品がすべて一体となって働き、有益なことをしている。この場合、時間を告げているのだ。石とちがって、時計は運よくたまたま生まれたはずがない。意図的にデザインされ、腕のいい時計職人によって組み立てられたはずだ。

当然、あなたにはペイリーがこの話で何を目指しているのか、すぐにわかるだろう。時計には時計職人がいたはずなのと同じで、眼には眼の職人、心臓には心臓の職人がいたはずだ。ほかも同様である。いまあなたは、以前よりもペイリーの指摘に納得しているかもしれない。それがまちがっていて、じつは創造主の神は必要ないのだなどという言葉は、聞きたくないかもしれない。

寄せ集め論から明らかなのは、生きものの鮮やかなありえなさの説明がほかのどんなものであれ、けっして行き当たりばったりの運ではないはずだということ。それこそまさに、ありえなさの意味である。しかしここで、議論に少しひねりを加えよう。少しだがとても重要な、進化論的ひねりである。チーターの断片すべてを無作為に寄せ集めて、ひどいごちゃ混ぜをつくるのではなく、動物の小さな断片ひとつだけを、やはり無作為の方向に変えることにしよう。重要なのは、ほんの少しだけ変えるというところだ。一匹のチーターが、前の世代よりもほんの少し長い爪をもって生まれたとしよう。これなら、寄せ集めチーターのひどいごちゃ混ぜではない。ちゃんと生きていて、息をして、走るチーターだ。無作為に変わったのだが、変化はほんの少しだけ。さて、そのわずかな変化のせいで、そのチーターはほんの少し生き延びにくくなる可能性はかなり高い。または、ほんの少し生き延びやすくなるかもしれない。たぶん、爪が長くなればチーターは地面をしっかりつかむことができ、そのおかげでほんの少し速く走れるようになる。アスリートが履くスパイクつきのランニングシューズに似ている。そのため、本来はすんでのところで逃していたガゼルを捕まえる。あるいは、その爪なら獲物を捕まえるときにしっかりつかめるので、獲物を逃すことが減る。

では、そのチーターはどうやって、その少し長い爪を手に入れたのだろう？　チーターのゲノムのどこかに、爪の長さに影響する遺伝子がある。チーターの子どもはつねに両親から遺伝子を受け継ぐ。ところが、いま話している生まれたばかりのチーターについては、爪に影響する遺伝子が親のものと同じではない。その遺伝子は無作為に変化した。「突然変異」したのだ。突然変異のプロセス自体は無作為だ――とくに改良に向かっているわけではない。それどころか、ほとんどの突然変異遺伝子は状況を悪くする。それでも――少し長い爪の例のように――たまたま状況を良くすることもある。その場合、その遺伝子をもつ動物（または植物）は生き延びて、突然変異したものも含めて、自分の遺伝子を伝える可能性が高い。それこそが、チャールズ・ダーウィンが自然淘汰と呼んだものだ（彼は「突然変異」という言葉は使わなかったが）。

無作為の突然変異で、爪は鋭くではなく丸くなることもありえる。そして、走ることや獲物を捕まえることが、あまり得意ではなくなったかもしれない。変化が小さければ小さいほど、それが改良である確率は五〇パーセントに近づく。その理由を理解するために、変化がものすごく大きいとしよう。たとえば、突然変異した爪が三〇センチになる。それではチーターの成功が減るに決まっている。その化け物のような爪に足を取られ、何かを捕まえようとすると爪は割れてしまう。どちらの方向でも、大きい変化には同じことが言える。突然脚の長さが二メートルになっても、たった一五センチになっても、チーターはすぐに死んでしまう。次に、やはりどちらの方向でも、非常に小さい変化を考えよう。チーターの体にほとんど影響をおよぼさないくらい小さい突然変異を想像してみてほしい。そんな変化では、チーターの成功にプラスの影響もマイナスの影響もほとんどない。とても小さい変化、ほとんどゼロだが完全にゼロではない小さい変化は、改良である確率がほぼ五〇パーセントある。突然変異が大きければ大きいほど、動物の行動にマイナス効果をおよぼす可能性が高くなる。大きい突然変異はだめだ。小さい突然変異なら、改良である確率が五〇パーセントに近づく。

ダーウィンは、成功する突然変異のほとんどが小さいものであることに気づいた。ところが、科学者が研究する変異はたいてい大きいものである。当然のことながら、小さい変異は見つかりにくいからだ。そしてどちらの方向であっても、大きい突然変異はほとんどいつも害になる。このことから、突然変異はすべて生き残りにとってマイナスになると考え、そのために進化に疑念を抱く人もいる。研究室で研究しやすいくらい大きな突然変異はすべて、生き残りにとってマイナスであることは事実かもしれない。しかし、進化でほんとうに重要なのは小さい変異なのだ。

ダーウィンは読者に淘汰の力を説くために、まず家畜化を指摘した。人間は野生の馬をさまざまな品種に変えた。荷馬車馬や中世の軍馬のように、野生の馬よりはるかに大きい品種もいる。シェトランドポニーやファラベラのように、はるかに小さい品種もいる。私たち（つまり私たちの祖先）は、荷馬車馬をつくるのに代々最も大きい個体を繁殖に選んだ。ファラベラをつくるのには、一番小さい個体を繁殖させた。何世代も重ねて、私たちはオオカミを原種として、犬のあらゆる品種をつくった。グレートデンやアイリッシュ・ウルフハウンドをつくるのには、代々最も大きい個体を繁殖させた。チワワやヨークシャーテリアをつくるのには、つねに最も小さい個体を繁殖させた。平凡で目立たない野草である野生のキャベツから、芽キャベツ、カリフラワー、ケール、ブロッコリー、コールラビ、そして数学的にエレガントなロマネスコ（図9を参照）をつくった。すべて人間が人為的に淘汰することによってつくられた。農民や園芸家、犬のブリーダーやハトの愛好家は、何世紀も前から淘汰の力を知っていたのである。

　ダーウィンが鋭い目で気づいたのは、人為淘汰は必要ないということだ。自然はその仕事をすべて独力でこなしていて、しかも何億年ものあいだ、そうしてきたのである。動物が生き延びて繁殖するのを助ける突然変異遺伝子もある。そういう遺伝子は集団内でよくあるものになっていく。動物が生き延びて繁殖するのを難しくする突然変異遺伝子もあり、そちらは集団内で減っていって、やがて完全に消える。オオカミを競走犬のホイペットや狩猟犬のワイマラナーに変えるのに、二、三世紀しかかかっていない。一〇〇万世紀でどれだけの変化が起こりえたか、考えてみてほしい。私たちの祖先が海から這い出した魚だったときから、三〇〇〇万世紀が過ぎているのだ。それは恐ろしく長い時間だ。世代が進むにつれて少しずつ変化する大きなチャンスである。突然変異の話にもどると、重要な点は、成功する突然変異は無作為でも小さい変化だということ。突然変異した動物は、無作為に寄せ集められたごちゃ混ぜではない。無作為に変化するたびに、前の世代とほんの少しだけちがうものになる。

　自然がどうやって農家や園芸家や犬のブリーダーの仕事をするのか知るために、先ほどのチーターの話にもどろう。突然変異遺伝子をもった子どもが成長すると、そのほんの少し長い爪が、ほんの少しだけ速く走る助けになる。そのおかげで、より多くの獲物を捕まえる。ということは、そのチーターの子どもたちは食べものをたくさん与えられ、生き延びて子どもを産む可能性が高いということだ。その新たな子どもたち——突然変異体の孫たち——は、変異した遺伝子を受け継ぐ可能性が高いので、彼らもまた、少し長い爪をもって成長する。彼らもそのおかげで余計に速く走り、そのおかげで多くの子どもを産む——最初の突然変異体のひ孫たちである。以降もそれが続く。人間のブリーダーが系統的に、繁殖させるべき最も速い個体を選んだかのようだ。しかし人間のブリーダーはいない。代わりに、生き残ることがその仕事をする。どういうことになるか、あなたにもわかるだろう。世代が進むにつれ、変異した遺伝子は集団のなかでますます多く見られるようになっていく。最終的に、チーターの集団のほぼ全体が、突然変異した遺伝子をもつ時期が来る。彼らはみな、祖先よりもほんの少し速く走っている。

これが今度はガゼルに余分なプレッシャーをかける。すべてのガゼルが等しく速く走れるわけではない。チーターほど速く走れるガゼルはいないが、ほかのガゼルより速く走れるガゼルはいて、そういうガゼルは食べられるのを逃れる可能性が高い。そのおかげで、生き延びて子どもを産む可能性が高い。そして子どもたちは速く走る遺伝子を受け継ぐ。走るのが遅い遺伝子は、チーターやライオンやヒョウの腹におさまってしまう可能性が高く、その結果、ガゼルの将来の世代になる可能性は低い。既存の遺伝子の無作為な変化によって、ガゼルが速く走るのを助ける新しい突然変異遺伝子が生まれれば、世代が進むにつれ、ガゼルの集団全体に広がる。チーターの突然変異と同じだ。ひづめの変化もありえるし、心臓の変化もありえる。あるいは血液の化学成分に深く埋め込まれた変化かもしれない。ここで細かいことは問題ではない。どんな手段であっても、遺伝子がガゼルの生き残りを助けるなら、その遺伝子は子どもに伝えられる。そのため、チーターの遺伝子と同じように集団内に広まり、最終的には集団内で全員共通のものになる。世代が進むにつれ、チーターもガゼルも、つまり狩るものも狩られるものも、ほんの少し速くなる。私たちはそれを、双方に進化的変化があったと言う。

私は軍拡競争のたとえが好きだ。もちろん、個々のチーターと個々のガゼルは文字どおり、互いに走りで競争している。でも、それは軍拡競争ではない。ただの競走であって、かなり短時間で、チーター（が食事にありつく）かガゼル（が逃げ切ってもう一日走る）か、どちらかが勝利して終わる。軍拡競争はもっとゆっくりだ。個々のチーターやガゼルの時間ではなく、進化の時間で起こる。軍拡競争はガゼルという種《しゅ》とチーターという種（それにライオンという種、ヒョウという種、ハイエナという種、ケープ・ハンティング・ドッグという種）のあいだの競争だ。そして軍拡競争の結果は、ゆっくりした進化の時間尺度で進む改良である。生き残るための装備が改良される。つまり世代が進むにつれ、走るスピードが上がる。脚、スタミナ、身をかわすスキル、捕食者や獲物を感知する感覚器官が改良される。酸素を筋肉にすばやく送るための血液成分が改良される。

進化は経済性を計算する

しかし人生と同じで、ただで手に入るものはない。改良のためには代償を払わなくてはならない。走るスピードを上げるには、軽い骨と長い脚が必要だ。そしてその代償として、骨折の可能性が高くなる。人間による人為淘汰は、自然淘汰では実現しなかったほど速く走る競走馬を育て上げた。でもその結果、長くて細い競走馬の脚は折れる可能性が高い。野生馬が剣歯虎《けんしこ》との軍拡競争によって、現代の競走馬と同じくらい速く走らざるをえなかったら、野生馬に何が起こるか想像してほしい。最速の個体は長い脚と軽い骨のおかげで、剣歯虎より速く走る可能性が高いかもしれない。しかし脚を骨折する可能性も高い。そうなると、剣歯虎のカモになってしまう。そのため実際には、軍拡競争は妥協につながることが予想される。野生馬は速く走るが、人間が育てる競走馬ほど速くはないだろう。そしてそれが実際に起こったことだ。意外ではないが、現代の競走馬はよく脚を折る。そしてかわいそうに、殺処分されなくてはならない。

軍拡競争に歯止めをかけるのは、脚の骨折とその類《たぐ》いだけではない。経済性の制限も重要だ。速く走る筋肉をつくるにはコストがかかる。筋肉に変えるための食物が必要である。その食物は、たとえば子どものための乳をつくるなど、何かほかのことに使われたかもしれない。人間の軍拡競争も経済的にコストがかかる。爆撃機にお金をつぎ込めばつぎ込むほど、兵士のために使えるお金が少なくなる。病院や学校に使えるお金が少なくなることは言うまでもない。

　ジャガイモのような植物が行なわなくてはならない経済計算を考えよう。なぜ植物が好例かというと、ガゼルやチーターや馬なら、頭のなかで計算すると（まちがって）考えたくなるかもしれないが、植物が足し算をするとは、誰もまじめに想像できないからだ。しかも、私たちが話しているのは文字どおりの計算ではない。計算に相当するものが、代々の自然淘汰によって行なわれているのだ。では、ジャガイモの話にもどろう。扱える「お金」は限られている。ここでいう「お金」とは、突き詰めれば太陽からもたらされ、糖という通貨に換えられ、たいていでんぷんとして、たとえばジャガイモの塊茎に蓄えられるエネルギー源を意味する。ジャガイモとしては、葉っぱに（日光を取り入れてもっと稼ぐために）いくらかお金を使う必要がある。根っこにも（水とミネラルを取り込むために）いくらかお金を使う必要がある。地下の塊茎にも（翌年の蓄えのために）いくらかお金を使う必要がある。花にも（昆虫を引き寄せて、ほかのジャガイモに授粉し、遺伝子を――支出についての決定を正しく下すための遺伝子を含めて――広めてもらうために）いくらかお金を使う必要がある。翌年のための塊茎貯蔵に十分に支出しないという「計算」まちがいをしたジャガイモは、たぶん遺伝子を伝えることに成功しない。世代が進むにつれ、経済計算をまちがえる植物は、集団内で数が減っていく。それはつまり、経済計算をまちがう遺伝子が減っていくということだ。集団の「遺伝子プール」は、正しい経済計算をする遺伝子でどんどんあふれるようになる。

ジャガイモの話で文字どおりの計算について話しているのではないことがわかったところで、ガゼルの話にもどり、ガゼルがどうやって経済収支をきちんと行なっているかについて話してもいいだろう。細かいところはジャガイモとちがうが、原則は同じだ。ガゼルはチーターやライオンに用心する必要がある。怖がる必要がある。油断なく目を配る必要がある。そして鼻も利かせておく必要がある。においで危険を察知することが多いからだ。でも、これは重要なことだが、食べることにも多くの時間を割く必要がある。同じ重さで考えると、食物としての植物は肉より栄養価が低いので、ガゼルや牛のような草食動物は、ほぼ一日中、食べつづける必要がある。怖がりすぎのガゼルなら、ほんのわずかな危険の疑いからも逃げてばかりで、食べる時間が十分にとれないだろう。しかしアフリカの平原では、レイヨウやシマウマがライオンから見えるところで、そこにライオンがいることを十分承知のうえで、草を食べている姿がよく見られる。彼らはライオンが狩りを始める様子を見せる場合に備えて、用心深く目を光らせている。それでも草を食べつづける。何世代にもわたる自然淘汰によって、怖がりすぎる（そのため十分に草を食べない）ことと、十分に怖がらない（そのためにライオンに食べられてしまう）こととのあいだの、絶妙なバランスが実現しているのだ。

進化とは、集団内の遺伝子の割合が変化することである。私たちに外から見えるのは、世代が進むにつれて起こる体や行動の変化だ。しかし実際には、集団内で多くなる遺伝子もあれば、少なくなる遺伝子もある。遺伝子が集団内で生き残る、または生き残れないのは、それが体や行動におよぼす影響の直接的結果であり、その一部しか私たちには見えない。チーターとガゼル、シマウマとライオンだけではない。カメレオン、イカ、カンガルー、フクロウオウム、バッファロー、チョウ、ブナの木、細菌、あらゆる動植物、あらゆるキノコ、あらゆる微生物、それらのすべてが、連綿と続く祖先の系統が生き残って、その遺伝子を伝えるのを助けた遺伝子をもっている。

あなたも私も首相も、あなたの猫も窓の外でさえずる鳥も、私たち一人残らずみんなが、祖先を振り返って誇らしげに主張することができる。私の祖先は誰ひとり早死にしていない、と。早死にした個体もたくさんいたが、それは祖先になったものではない。あなたの祖先は誰ひとり、少なくとも子どもひとりをもうけるくらい長く生きる前に、崖から落ちなかった、またはライオンに食べられなかった、または癌で死ななかった。もちろん、考えてみれば当たり前だ。でも、これはほんとうにとても重要である。私たちみんな、どんな動物も植物も真菌も細菌も、世界中に七〇億いる人間も全員、うまく生き延びて祖先になるための遺伝子をもっている。

何があればうまく生き延びられるのか、細かいところは種によってちがう。チーターにとっては短距離を全速力で走ること、オオカミにとっては長距離を走ること、草にとってはうまく日光を吸収し、牛に食べられても（または芝刈り機で刈られても）わりと平気であること、牛にとってはうまく草を消化すること、タカにとってはうまく空を舞って獲物を見つけること、モグラとツチブタにとってはうまく土を掘ること。すべての生きものにとって、それは経済的バランスを正しくとることである。たくさんのことをうまくこなして、全身のありとあらゆる部位、おびただしい数の細胞ひとつ残らず、すべてが一体となって働くことだ。種によって細かいところはかなりちがうが、共通点がひとつある。すべて、将来世代に遺伝子をうまく伝えるための方法である。うまく生き残って同じ遺伝子を伝えつづけていくための遺伝子を伝えている。細かいやり方はちがうけれど、同じことなのだ。生き残って遺伝子を伝えているという点では。

（ペイリーの時計のように）複雑な眼や器官は、（ペイリーの石のように）たまたまそこにあるということはありえない、という点で私たちは意見が一致した。人間の眼のような、見るための優れた装置が自然にできることはありえない。一〇〇個のコインを投げて、すべてが表向きになるのと同じくらいありえない。でも、優れた眼がほんの少し劣った眼に対する無作為の変化から生まれることはありえる。そしてその少し劣った眼は、さらに劣った眼から生まれる可能性はある。そんなふうにさかのぼると、ひどく貧弱な眼に行き着く。ひどく貧弱な眼でも、まったく眼がないよりましだ。夜と昼のちがいはわかるし、ひょっとすると捕食者のおぼろげな影に気づけるかもしれない。同じことが眼だけでなく、脚、心臓、舌、羽、血液、毛、葉にも言える。生きものに関することは、どんなに複雑でも、ペイリーの時計のようにありえなくても、今ではすべて理解できる。あなたが見ているものが何にせよ、それは突然いっぺんに生まれたのではない。前にあったものとほんの少しちがうものからできたのだ。それはだんだんに、こっそりと、一歩一歩現れたのであり、小さな一歩それぞれはほんとうに小さい変化しかもたらさないとわかれば、ありえなさは消えてなくなる。そして最初の一歩がもたらしたのは、けっして良いものではなかったかもしれない。

ありえないものは、いきなりこの世に飛び込んでくるわけではない。前にも言ったとおり、それがありえなさの意味である。ペイリーは時計について正しかった。時計が自然にできることはありえない。時計職人が必要だ。時計職人もまた、自然に突然現れるわけではない。複雑な赤ん坊として生まれる。人間の赤ん坊は成長して、人間の手と脳と、時計づくりのようなスキルを習得する能力を備えた、人間の大人になる。そうした人間の手と脳は、サルの手と脳からだんだんに進化したのであり、その前はサルに似た祖先から、その前はトガリネズミに似た祖先から、だんだんに、ゆっくりと、いらつくほどゆっくりと進化し、その前は魚に似た祖先から、という具合だ。それはだんだんで、ゆっくりで、けっして突然ではないので、時計が自然に一気に生まれることほど、ありえなくはない。デザイナーにも時計と同じように説明が必要だ。時計職人は説明がつく。女性から生まれたのであり、その前には祖先たちの少しずつゆっくりした進化が連綿と続いてきた。すべての生きものついてと同じ説明だ。それでは、万物のデザイナーとされる神はどうなるのだろう？　よく考えなければ、カメレオンやチーターや時計職人のようなありえないものの存在を、神はうまく説明するように思える。しかしもっと注意深く考えると、神自身がウィリアム・ペイリーの時計よりもっとありえないとわかる。何かをデザインするくらい賢い――複雑な――ものなら、あとから宇宙に現れたはずだ。時計職人ほど複雑なものは、初期の単純なものから時間をかけてゆっくり進んできた最終結果にちがいない。ペイリーは、自分の時計職人説が神の存在を証明すると考えた。しかし正しく理解すると、まったく同じ説が正反対の方向に向かう。神の存在を反証する方向だ。自分が雄弁かつ説得力をもって墓穴を掘っていることを、ペイリーは知らなかったのだ。

第9章　クリスタルとジグソーパズル

話をペイリー大執事の時計にもどして、もっと注意深く、それが彼の石とどうちがうかを考えてみよう。どちらも試しに寄せ集めをすることができる。特定の石を取って、その断片を一〇〇〇回寄せ集めても、もう一度まったく同じ石になるには、かなりの運が必要だろう。だから、石も時計と同じくらいありえない、とあなたは言うかもしれない。でも、無作為につぎはぎした石もすべてやはり石であり、そのどれにも特別なところはない。時計はそうでない。時計の部品を一〇〇〇回寄せ集めたら、一〇〇〇個の無作為なごちゃ混ぜができ上がる。でも、そのなかに時間を教えるなどの有益なことをするものはひとつも

ない（あなたの無作為な寄せ集めがとんでもなく幸運でないかぎり！）。それらは美しくさえないだろう。それが時計と石の重要なちがいだ。どちらも断片の唯一無二の組み合わせであるという意味では、同じようにありえない。その組み合わせは、まったくの運で「たまたま生まれる」ことはない。しかし時計は別のもっと興味深い意味で唯一無二だ。そのおかげで、あらゆる無作為の寄せ集めとは一線を画す。時計は有益なことをする。時間を教えるのだ。そういう意味で石は唯一ではない。無作為に寄せ集められた何千という石のうちの一個を、残りすべてから選び出しようがない。すべてがただの石だ。一方、時計の断片の集まり方は何万通りもあるが、そのうち時計になるのはたった一通りだ。時間を教えるのはひとつだけである。

でも、ここで考えてほしい。ペイリー大執事と一緒に荒れ野を歩いていると、あなたはこんなもの（次ページの図）につまずく。

ペイリーの石のように、「たまたまあっただけ」と喜んで言えるだろうか？　言えないだろう。デザイナーというかアーティストによって丁寧につくられたのだと、あなたは——そしてきっとペイリーも——思いたいのではないだろうか。おしゃれなギャラリーにあっても場ちがいではないのでは？　有名な彫刻家によって造形された貴重な芸術作品だ。光り輝く立方体は完璧に見えるし、でこぼこの石の土台にセンスよくはめ込まれている。この美しいオブジェが誰のつくったものでもないことを知って、私は衝撃を受けた。これ

はたまたま生まれた。ペイリーの石とまったく同じ。実際、一種の石なのだ。

たまたまできた物たち

これは結晶《クリスタル》である。結晶は自然に大きくなる。そしてまるでアーティストがつくったとしか思えないような、精密な幾何学的形態になるものもある。この立方体はたまたま二硫化鉄の結晶である。さまざまな化学物質から自然に形成され、やはり美しく見える結晶は、ほかにもたくさんある。ダイヤモンド、ルビー、サファイア、エメラルドなど、あまりに美しいので信じられない価格がつくものもあり、人々はそれを首にかけたり指にはめたりする。

もう一度言おう。この美しい二硫化鉄の「彫刻」を造形した人はいない。たまたまできたのだ。ただ大きくなった。結晶とはまさにそういうものである。二硫化鉄の結晶は黄鉄鉱と呼ばれ、金ぴかなので「愚か者の金」と言われることもある。それを掘り出した人々が本物の金だと勘ちがいし、大喜びで踊り回ったが、その希望は残酷にも叩きつぶされた。

結晶が美しく、幾何学的に正確な形なのは、その形が原子の配置を直接表しているからだ。水は十分に冷たくなると結晶化して氷になる。氷のなかの分子は隣どうしきちんと整列する。軍事パレードの兵士のようだが、小さな結晶にも莫大な数の兵士がいるところがちがう。隊列は次々と遠くまで四方八方に広がっていく。兵士とちがって、「四方八方」には上下方向も含まれる。この三次元の分子パレードは格子と呼ばれる。ダイヤモンドなどの宝石も結晶であり、それぞれに独自の格子パターンがある。岩や石や砂も結晶でできているが、その結晶はだいたいとても小さく、まとめて押し固められているので、別々の結晶とはわかりにくい。

結晶には別の形成方法もある。物質が水に溶けていて、その水が蒸発するとできるのだ。あなたもふつうの食塩、つまり塩化ナトリウムで簡単に試せる。塩一カップを水に入れ、沸騰させて溶かしたあと、溶液を広くて浅い皿に放置して、水を蒸発させる。数日が過ぎると、水のなかに新たな塩の結晶が見られる。食塩の結晶は、黄鉄鉱のように立方体になるか、複数の立方体でできた大きい構造物になり、四角錐（ピラミッド形）のように見えるものもある。そこでは、塩素とナトリウムの原子が互いを認識して腕を組んでいる。その「腕」の正式名称は化学結合だ（この場合、じつは正確には原子ではない。イオン、塩素イオンとナトリウムイオンなのだが、ここではそのちがいは重要でない）。さて、結晶がどういうふうに成長するかを説明しよう。まだ水に漂っている塩素イオンとナトリウムイオンが、たまたま既存の結晶にぶつかる。結晶の端にすでに塩素イオンとナトリウムイオンがあることに気づいて、そのイオンと腕を組む。そうやって結晶は大きくなるのだ。食塩の結晶が正六面体なのは、そのイオンの「腕」が互いに直角になっているからである。「パレードの兵士」の列が直角をなしていることから、結晶の形が決まる。あらゆる結晶が正六面体というわけではなく、その理由はすでにおわかりだろう。そうした結晶の「腕」は直角とはちがう角度に向いているので、「パレードの兵士たち」はその角度で並ぶ。だから、たとえば蛍石《ほたるいし》の結晶は八面体である。

結晶は、立方体や八面体のようなきちんとした幾何学的形状をした、大きな単一の石になることもあるが、小さい結晶がくっつき合って、もっと複雑な形をつくる場合もある。こうした複雑な形をつくる小さな構成単位それぞれの内部は、基本的な「兵士のパレードの整列」を見せる。しかし「構造物」はもっと複雑だ。雪の結晶がその一例である。雪の結晶は同じものが二つとない、と聞いたことがあるかもしれない。氷の場合、「腕」の数は六本なので、小さな氷の結晶の自然な形状は六角形だ。けれども雪の結晶は、よくある

そうした小さな結晶ではない。たくさんの小さな六角形の「レンガ」でできた「構造物」である。六角形のデザインはレンガそのものの形だけでなく、「構造物」の形にも反映されていることがわかる。どの雪の結晶も六方向に対称なのだ（上の図に数例を示した）。それなのにすべてがちがっていて、とても美しいものが多い。

なぜ雪の結晶は同じものが二つとないのか、じっくり考えるべきである。その理由は、それぞれに固有の経歴があるからだ。水のなかでイオンがへりにくっついて成長する塩の結晶とちがって、雪の結晶は、小さな氷の結晶が水蒸気の雲のなかを落ちていくとき、「構造物」のへりにくっつくことで成長する。その成長方法には二通りある。どちらが優勢になるかは、雲の小さな断片それぞれの「微気候」——どれだけ寒く、どれだけ湿っているか——で決まる。雲のなかの場所によって、微気候は温度も湿度もちがう。雪の結晶はどれも、雲のなかを舞い降りるあいだに、さまざまな微気候を経験する。刻一刻、ほかにはないパターンで湿度と温度が変化するのだ。そのため、「構造物」の組み立て方はほかにないパターンにしたがうので、その特定の雪の結晶は最終的にほかにない形になる。刻一刻の過程が残した指紋のようなものだ。*

では、どうして雪の結晶は美しいのだろう？　雪は、万華鏡のなかの像と同じで対称である。六辺すべて、六角すべて、六点または六組の点すべてが対称になっている。ではなぜ対称なのか？　なぜなら、結晶はとても小さいので、成長する「構造物」のパーツはすべて、同じ湿度変化と温度変化の「経時的」パターンを経験するからだ。ちなみに、すべての雪の結晶はほかとちがうが、それほど美しくないものもある。本に写真が載せられるのは美しいものなのだ。

もし私たちに分別がなかったら、「ねえ、見て、雪の結晶はすごくきれいだし、すべてほかとちがう。こんなに何百万種類ものデザインを考え出せる豊かな心をもった、優秀なクリエイターによってデザインされたにちがいない」と考えたかもしれない。しかし先ほど見たように、雪の結晶などの美しい結晶はペイリーの石と同じであって、ペイリーの時計とはちがう。その美しく複雑な対称性はすべて科学で完璧に説明がつくし、なぜすべてがほかにないのかも説明がつく。ペイリーの石と同様、雪の結晶は「たまたまできた」のだ。このように分子が――または一般的に物が――自然に特定の形をつくる、つまり「た

＊　雪の結晶についての私の理解は、ブライアン・コックスの美しい本『自然の力（Forces of Nature）』によるものである。

またまできる」とき、そのプロセスは自己集合と呼ばれる。理由はわかるだろう。このあと見ていくように、自己集合は生きものにとってとても重要だ。この章のテーマは生命における自己集合である。

酵素とDNA

私がすばらしいと思う生きものの自己集合の例は、この章のタイトルページに描かれている。ラムダ・バクテリオファージというウイルスだ。ウイルスはすべて寄生体であり、このウイルスは名前の「バクテリオファージ」が示すように、バクテリアに感染する。月面着陸船に似ていると、あなたも思うだろう。しかもふるまいまで似ている。バクテリアの表面に着陸し、そこにしっかりとその「脚」で立つ。次にこのウイルスはバクテリアの細胞壁に穴を開け、自分の遺伝物質、自分のDNAを、中央の「しっぽ」――「皮下注射器」と呼んだほうがいいかも――から注入する。バクテリア内部の組織には、ウイルスのDNAと自分自身のDNAのちがいがわからない。ウイルスのDNAにコード化された指示にしたがうほかなく、その指示はもっとたくさんウイルスをつくり出すように命令するので、つくられたウイルスがやがてドッと飛び出して着陸し、もっとたくさんのバクテリアにまた感染する。しかし、この章のテーマにとって興味深いのは、ウイルスの「体」が結晶、または結晶群のように自己集合することだ。その頭はあなたが首にかけるような結晶によく似ている（ただし小さすぎるが）。頭もウイルスのほかの部分も、結晶と同じように自己集合する。バクテリアの内部を漂っている分子が、すでに成長している結晶にはまり込むのだ。

結晶について話し始めたとき、私は「パレードの兵士」と「腕を組む」というたとえを使った。ここで少しちがう比喩が必要になる。ジグソーパズルだ。大きくなっていく結晶は、未完成のジグソーパズルと考えることができる。ジグソーと同じように、へりにピースがくっつけられるので、中央から外へと広がっていく。ただし、テーブルの上でやる普通の平らなものとちがって、三次元のジグソーパズルだ。

液体に浮かんでいる未完成のジグソーパズルの周囲に、たくさんのジグソーのピースがある。水中のナトリウムイオンと塩素イオンかもしれない。浮かんでいるピースの一個が結晶にぶつかるたびに、ぴったりの形の「穴」を見つけて、自分でそこにはまる。これもまた、結晶がへりで成長していく様子を想像する方法なのだ。ここからは、ジグソーパズルのたとえを、生きもので起こっていることを話すのに使おうと思う。具体的には酵素についても見ていく。その前に、酵素が何かをざっと確認しよう。

第7章に出てきた、細胞内で起こっている化学反応の図を思い出してほしい。矢印と丸い点がものすごく複雑にからみ合ったスパゲッティの塊だ。そんなにいろいろな化学反応すべてが、小さい細胞の内側という同じ空間で、互いを邪魔することも、ごちゃ混ぜになることもなく起こりうるのはどうしてなのか、あなたは不思議に思うかもしれない。化学実験室に行って、棚にあるビンを全部つかんで、中身を大きな樽に一度にすべてひっくり返したとしよう。ひどい混乱状態になる――そしてたくさんの恐ろしい反応ばかりか、爆発さえも起きるかもしれない。ところがどういうわけか、生きている細胞のなかでは、たくさんの化学物質が互いを邪魔することなく別々のままでいられる。なぜ、すべてが互いに反応しないのか？　それぞれが別々のビンに入っているかのようだ。だがそうではない。どうしてうまくいくのだろう？

答えのひとつは、細胞内部は仕切りのない大きな樽ではないことだ。複雑な膜組織がたくさんあって、試験管のガラスの壁のような働きができる。でも、話はそれで終わりではない。もっと興味深いことが起こっている。そしてここが酵素の出番だ。酵素は触媒である。触媒とは、自身は実質的に変化することなく、化学反応を加速する物質だ。テキパキと働く小さな実験助手のようである。触媒が化学反応を何百万倍も速くすることもあり、酵素はとくにこれが得意だ。細胞のなかで一緒くたになっている化学物質はどれも、触媒が存在しなければ互いに反応しない。しかも、反応それぞれに固有の触媒がなくてはならない。必要なとき、適切な触媒が加わることによってのみ、特定の反応が始まる。酵素をスイッチと考えてもいい。電気のスイッチとほとんど同じように、入れたり切ったりできる。特定の酵素が細胞内にあるときだけ、ひとつの特定の化学反応のスイッチが入る。しかも、酵素はほかの酵素の「スイッチを入れる」ことができる。スイッチがほかのスイッチを入れる（または切る）ことで、いかにエレガントな制御システムが構築できるか、あなたにもわかるだろう。

酵素の働き方の少なくとも概要はわかった。ここでジグソーパズルの考えの出番だ。細胞内でブンブン動き回っている何百という分子を、ジグソーパズルのピースと考えよう。分子Xは、合体してXYをつくるために分子Yを見つける必要がある。XとYの結合は、第7章の「スパゲッティ」図に示されている、何百というとても重要な化学反応のひとつにすぎない。Xがたまたまと出合う可能性は低い。でも、合体するのにぴったりの角度でたまたま出合う可能性はある。たまたまそうなることは非常にまれなので、XYができるペースは極端に遅い――あまりに遅いので、もし運に任せていたらほとんど起こらないだろう（私が七歳のとき、生まれて初めて受け取った学校の通信簿を思い出す。「ドーキンスには三段階のスピードしかない。ゆっくり、とてもゆっくり、止まる」）。しかし、XとYの合体をスピードアップすることを仕事にする酵素がある。そして多くの酵素の場合、「スピードアップ」では言い足りない。ここでも、ジグソーパズルの原則を使って働くのだ。

酵素分子はとても大きい複雑な塊で、その表面全体に出っ張りと割れ目がある。「とても大きい」と言っても、分子の標準で大きいだけだ。私たちが日常生活で使い慣れている標準からするととても小さくて、光学式顕微鏡では見えない。例として、「XY」化学反応をスピードアップする酵素を取り上げよう。その表面の割れ目にXの形の穴があって、そのすぐ隣にYの形の穴がある。だからこそ、酵素は優秀な「実験助手」であり、とくにXとYの合体をスピードアップさせるのが得意なのだ。X分子はジグソーパズル式でX形の穴にはまる。Y分子はジグソーパズル式でY形の穴にはまる。そして二つの穴はまさにぴったりの方向で隣どうしなので、XとYは合体するのにぴったりの角度で寄り添っていることになる。新しくできたXYの結合体はスポッと抜けて漂い出し、二つの穴は空くので、別のXと別のYで同じことができる。そのため、酵素分子は実験助手と見なせるだけでなく、工場の機械のようなものとも考えることができる。切れ目なく続くXとYを原料にして、XY分子を量産するのだ。そしてその細胞にも、体内の別の場所のほかの細胞にも、ほかの酵素があって、それぞれがほかの化学反応をスピードアップさせるための完璧な形になっている――つまり、表面にぴったりの「割れ目」や「へこみ」がある。ここで強調しておきたい。私の「割れ目」や「形」という表現はかなり単純化しすぎなのだが、それにこだわるのは、この章の目的に役立つからだ。「形」は物理的な形だけでなく、化学的な親和性を意味することもできる。

何百種類もの酵素があって、それぞれ形がちがい、それぞれ異なる化学反応をスピードアップするための形になっている。とはいえ、たいていの細胞には使える酵素がひとつ、または二つ三つしかない。なぜ化学反応がすべて一度には起こらず、どれも互いに邪魔しないのかという謎に対して、酵素は（唯一ではないが）主要な答えである。

そう考えると、酵素分子の存在は魔法のように思える。チーターの脚が速く走るためのみごとな形になっているのと同じように、酵素は特定の化学反応をスピードアップさせるためのみごとな形になっている。酵素ひとつにつき、特別な化学反応ひとつだけだ。どうやってそのみごとな形になるのだろう？　聖なる分子彫刻家によってその形に彫られる？　いいえ。成長する結晶がやることをもっと複雑にした働きによって、形ができ上がる。これもまた自己集合である。

すべてのタンパク質分子は、アミノ酸と呼ばれるさらに小さな分子の鎖である。アミノ酸にはたくさんの種類があるが、生きものの内部に見つかるのは二〇種類だけだ。すべてに名前があって、二〇の名前を書き出すこともできるが、細かいことは気にしないことにしよう。ここでは、二〇種類ある、ということさえわかっていればいい。各タンパク質分子は、アミノ酸をビーズにしたネックレスに似ている（閉じた輪っかではなく、留め金がはずれているネックレスだ）。二〇種類のアミノ酸――二〇種類のビーズ――のレパートリーから選ばれたビーズの並び方によって、それぞれちがうタンパク質になる。

思い出してほしい。塩の結晶が成長するのは、水中に浮かぶジグソーのピースが、結晶のへりにある「相手方」に気づいて、そこにはまるときである。では、タンパク質ネックレスのビーズを、二〇種類あるジグソーのピースから選んだものと考えよう。そのなかには、同じ鎖のどこかにあるほかのピースにぴったりはまる形のものがある。この自己ジグソーが鎖のあちこちで起こる結果、鎖は特別な形に折りたたまれる。一本のひもがこんがらかって、ひどく特殊な結び目をつくるような感じだ。

ところで先ほど、酵素分子を出っ張りと割れ目のある複雑な塊と表現した。それは鎖のようには思えないって？　でも、そうなのだ。じつはアミノ酸の鎖はどれも、特定の三次元の形に折りたたまれる傾向がある。先ほど言ったように、こんがらかって結び目ができるのにちょっと似ている。「結び目と割れ目のある塊」は、鎖が自己集合してできる複雑な形である。鎖の環が別の特定の環に引き寄せられ、そこにジグソーのようにはまる。そしてこの結合のおかげで、特定の鎖は例外なく、同じ出っ張りと割れ目をもつ同じ形に折りたたまれる。

実際には、つねに同じわけではない——その例外が興味深い。こんがらかってできる結び目が二通りあって、そのうちのどちらかをつくる鎖もある。それはとても重要かもしれないが、この章はすでに十分複雑なので、そのことは置いておこう。この本の目的のためには、タンパク質分子それぞれはジグソーのピース（アミノ酸）の鎖であって、それが折りたたまれてきわめて特殊な形になると考えておけばいい。その形はほんとうに重要であり、アミノ酸の並び順と、同じ鎖にあるほかのアミノ酸にジグソーのようにはまる傾向で決まる。

ここで、どうしても脇道にそれたい。関係ないように思えるかもしれないが、このジグソーのピースがはまるという考えを、興味深く浮き彫りにしてくれる。私たちの嗅覚に関する話だ。バラの香りを想像してほしい。またはハチミツ。またはタマネギ。リンゴ。イチゴ。魚。タバコ。よどんだ沼。どのにおいも異なり、まちがえようがない。心地よいかゾッとするか、スモーキーかフルーティーか、かぐわしいか不快か。空中を運ばれて私たちの鼻に入ってくるその分子が、どうやってこのにおいやあのにおいを生むのだろう？答えはまたもやジグソーだ。鼻の内側には、たくさんの異なる形の小さな割れ目があって、それぞれがぴったりの形の分子がはまるのを待っている。たとえばアセトン（除光液）の分子は、アセトン形の割れ目にジグソーパズルのようぴったりはまる。アセトン形の割れ目は脳に、「私好みの分子がはまった」というメッセージを送る。脳はこの特定の割れ目はアセトン形の割れ目だと「知っている」ので、脳は「考える」。ああ、除光液だ。バラの香りや、高級な年代物のワインの香りは、アセトンの場合のように一個だけではなく、ジグソー分子の複雑な組み合わせでできている。しかし要点は同じ、分子のジグソーの原則が働いている。

本題にもどろう。「ネックレス」をつくるアミノ酸の並び順が、タンパク質の「結び目」のでこぼこした形を――「自己集合でジグソーする」ことによって――つくっていることはすでに見てきた。そしてその割れ目が今度は酵素としてのタンパク質の役割を担い、特定の化学反応をスピードアップする――要するにそのスイッチを入れる――ことも見てきた。一個の細胞内で同時に進行する可能性のある化学反応は何百とある。材料はすべてそこにあり、準備万端だ。あとは適切な酵素さえあればいい。そこにありうる酵素は何百とあるが、実際にあるのはひとつだけ、あるいはほんの少しだけだ。そのため、どの酵素があるかはきわめて重要である。それで細胞が何をやるかが決まる。というか、細胞が何であるかが決まる。

そこで、特定の酵素のネックレスをつくるアミノ酸の並び順を、ひいては鎖がどんな形に折りたたまれるかを決めるのは何か、あなたは疑問に思っているにちがいない。たしかにとても重要な疑問だ。というのも、それに左右されることがたくさんある。

そしてその答えは遺伝分子、つまりＤＮＡである。この答えの重要性はいくら強調してもかまわない。だから私はそれに一段落を割いた。

タンパク質分子と同じようにＤＮＡも鎖であり、ジグソーピースのネックレスである。しかしそのビーズはアミノ酸ではなく、ヌクレオチド塩基と呼ばれる化学単位だ。しかも二〇種類ではなく四種類しかない。その名前はＡ、Ｔ、Ｃ、Ｇと短縮されている。ＡはＴにだけ（ＴはＡにだけ）はまる。ＣはＧにだけ（ＧはＣにだけ）はまる。ＤＮＡ分子は途方もなく長い鎖で、タンパク質分子よりはるかに長い。タンパク質分子とちがって、ＤＮ

Ａの鎖は「結び目」をつくらない。長い鎖のままなのだが、実際には二本の鎖がはまり合って、エレガントな螺旋《らせん》階段をつくる。階段の「段」それぞれが、はまり合った塩基のペアなので、段の種類は四種類しかない。

Ａ－Ｔ
Ｔ－Ａ
Ｃ－Ｇ
Ｇ－Ｃ

この塩基の並び順が、コンピューターのディスクと（ほぼ）同じやり方で、情報を伝える。そして情報は二種類のまったく異なる方法で使われる――遺伝と胚発生だ。遺伝での使い方は単純なコピーである。ジグソーパズルのかなり複雑なバージョンによって、階段全体がコピーされる。これは細胞が分裂するときに起こる。胚発生での使い方は驚異的だ。コード文字がトリプレットで――一度に三個ずつ――読み取られる。四文字のトリプレットは六四通りあり（４×４×４＝64）、六四通りそれぞれが句読点として、またはタンパク質の鎖をつくることになる二〇種類のアミノ酸のひとつとして、「読み取られる」。「読む」と言っても、もちろん読む人がいるわけではない。ここでも、すべてが自動的にジグソーの原則で行なわれる。ぜひ詳しく話したいのだが、それはこの本のテーマではない。この本の目的にとって重要なのは、一本のＤＮＡを構成する塩基の並び順が三個ずつ読み取られたとき、タンパク質の鎖をつくるアミノ酸の並び順が決まる、ということだ。そしてタンパク質の鎖をつくるアミノ酸の並び順は、そのタンパク質の鎖がどういうふうにとぐろを巻いて「結び目」をつくるのかを決める。そして「結び目」の形（その「割れ目」など）が、酵素としてどう働くかを決め、ひいては細胞内でどの特定の化学反応のスイッチを入れるかを決める。そして細胞内の化学反応は、それがどんな種類の細胞であり、どうふるまうかを決める。最終的に——おそらく何よりもすばらしいこととして——胚のなかで協力する細胞のふるまいが、胚がどう発達して赤ん坊になるかを決める。したがって結局のところ、私たち一人ひとりがどうやって一個の細胞から赤ん坊へと発達し、いまの私たちへと成長したかを決めたのは、ＤＮＡなのである。これが次章のテーマだ。

第10章　ボトムアップかトップダウンか

二〇世紀の偉大な科学者——そして伝説的人物——J・B・S・ホールデンが、あるとき公開講座を行なっていた。講座が終わると、一人の女性が立ち上がり、こんなことを言った。

「ホールデン教授、あなたがおっしゃっている数十億年が進化に使えたとしても、たった一個の細胞から複雑な人体になることが可能とは、とても信じられません。何十兆もの細胞が骨や筋肉や神経をつくっていて、心臓は何十年も止まることなくポンプの働きをして、血管と尿細管が何キロにもおよんでいて、脳は考えたり話したり感じたりできるんですよ」

ホールデン教授はすばらしい返答をした。「それでも、あなたご自身がそれをやったのです。しかもたった九カ月で」

女性はこう切り返すこともできた。「あら、でも成長中の胎児としての九カ月は、両親のくれたＤＮＡが指揮を執っていました。私がゼロから始める必要はなかったのです」。

もちろん、そのとおりだ。そして彼女の両親はその両親からＤＮＡをもらい、その両親はそのまた両親からもらい、という具合に何世代もさかのぼる。数十億年にわたる進化の途中で何が起こっていたかというと、赤ん坊のつくり方についてのＤＮＡの指示が、少しずつ組み上げられていたのだ。それを組み上げていた――磨きをかけ、改良していた――のは自然淘汰である。うまく赤ん坊をつくった遺伝子は伝えられたが、うまくできなかった遺伝子は消えた。そしてどういう赤ん坊がつくられるかは、少しずつゆっくり、何百万世代をかけて変わっていった。

「きらめく美しいものすべて」という、とてもすてきな聖歌がある。あなたも知っているかもしれない。神が創造したもの、とくに生きものの繊細な美しさをたたえている。

その燃え立つ色をつくられた
その小さな翼をつくられた

　でも、たとえあなたが動物の創造に神がかかわったと信じているとしても、燃え立つ色を直接つくったのでないことはわかるだろう。小さくてもそうでなくても、翼も同じだ。翼も燃え立つ色も、生きている体のあらゆる部分は、胚発生のプロセスによって一個の細胞から新たに育つのだ。そして胚発生は、前章で見たように、酵素を介してＤＮＡによって監督されている。もし神が燃え立つ色を出したり、小さい翼を形づくったりしたのなら、そのために胚発生を操作したのだ。現在、それはＤＮＡを操作することだとわかっている（そして第９章で概要を説明したように、ＤＮＡはタンパク質を操作する、という具合だ）。そしてもし、（間接的に）そうした燃え立つ色をつけて、小さい翼をつくるのが自然淘汰だとしたら――実際にそのとおりなのだが――自然淘汰もＤＮＡを介してそれを行なう。ＤＮＡは体の発達を監督し、ＤＮＡは代々、自然淘汰によって「監督」されている。そのため、自然淘汰は間接的に体の発達を「監督」する。

　ＤＮＡは体の「青写真」だと聞いたことがあるかもしれないが、それは大きなまちがいだ。家や車には青写真がある。赤ん坊にはない。そのちがいは、車や家は設計《デザイン》されるが赤ん坊はされないこととは、まったく別である。もっと根本的なちがいがある。青写真では、家（または車）の要素それと、青写真の要素それぞれのあいだに、一対一の「マッピング」がある。家の隣り合う要素は、青写真の隣り合う要素に対応する。もし家の青写真が行方不明になったら、家を細かく計測し、その縮尺版を紙に描くことによって、つくり直すことができる。私は自分の家についてそれをやったばかりだ。すべての部屋を測るためのレーザーガンを携えた人がやってきて、ほんの二時間で完璧な設計図を描いた。それは私の家の正確なレプリカをつくれるくらい正しかった。

赤ん坊でそれはできない。ＤＮＡ「青写真」上の点と赤ん坊の点のあいだに、一対一のマッピングはない。理論的にはありえなくはないので、まったくばかげた考えというわけではない。なぜなら、ＤＮＡはコンピューターと同じようにデジタルだからだ。すべての部屋を測定することによって慎重に再現された私の家の設計図は、コンピューターでデジタル化できた。現代の遺伝学研究所は、どんなコンピューター情報もＤＮＡコードに変えることができ、それには私の家のデジタル化された設計図も含まれる。そのＤＮＡを試験管に入れて、たとえば日本にある別の遺伝学研究所に送り、そこでＤＮＡを読み取り、図面の忠実なコピーをプリントアウトすることができる。そうすれば、私の家の正確なレプリカを日本でつくることができるのだ。どこかほかの惑星では、親が遺伝情報を子どもに伝えるとき、それと同じようなことが起こっているかもしれない。親の体が「スキャン」されて青写真になり、それがＤＮＡ（またはその惑星のＤＮＡに相当するもの）にデジタル化されるのだ。そのあとデジタル化された人体像を使って、次世代の体をつくる。でも、この惑星ではそんなことはいっさい起きていない。そしてここだけの話、どんな惑星でもうまくいかないのではないだろうか。その理由のひとつは（いくつかあるうちのひとつにすぎないが）、親の体をスキャンする場合、傷や折れた脚のようなものもスキャンせざるをえないことにある。各世代がすべての祖先のあらゆる傷や折れた脚を蓄積することになる。

たしかに、ＤＮＡはコンピューターのコードと同じでデジタルコードだ。そしてたしかに、ＤＮＡは親から子へ、代々デジタル情報を伝える。しかし、伝えられる情報は青写真ではない。それはけっして赤ん坊のマップではない。親の体のスキャン画像でもない。遺伝学研究所はそれを読み取ることはできるが、赤ん坊をプリントアウトすることはできない。人間のＤＮＡ情報を赤ん坊にする唯一の方法は、そのＤＮＡを女性の体に入れることなのだ！

ＤＮＡが赤ん坊の青写真ではないなら、何なのか？　それは赤ん坊のつくり方を示す一連の指示であり、それはまったく別の話だ。どちらかというと、ケーキをつくるためのレシピに似ている。でもなければ、命令に順序正しくしたがうことになっているコンピュータープログラムのようなものである。最初にこれをやり、次にそれをやり、そしてもし○○が正しければ△△をやり、そうでなければ××をやり、という具合に命令が何千と並んでいる。コンピュータープログラムはとても長いレシピのようなもので、分岐点によって複雑になっている。レシピは指示が一〇かそこらしかない短いプログラムだ。そしてレシピは、車の製造や家の建築のように可逆ではない。ケーキをもってきて、それを測定することでレシピを再現することはできないのだ。それに、コンピューターがやることを見て、プログラムを再現することもできない。

家を建てる方法は「トップダウン」と呼ばれる。この「トップ」の意味では、建築士の設計図がトップにある。建築士が一連の詳しい設計図を描く。設計図には各部屋の正確な寸法と、壁はそれぞれどんな素材か、どういう仕上げにするか、水道管と電気ケーブルはどこを通るか、ドアと窓はそれぞれ正確にどこにつくか、煙突と暖炉と支えのまぐさ石の正確な位置など、詳しい指示が記入されている。その設計図はれんが職人と大工と配管工に渡され、彼らはそれを受け取り、慎重にしたがう。それがトップダウンの建築であり、建築士——というか建築士の設計図——が工程全体をトップから監督する。それが「青写真建築」である。

ボトムアップの建築はまったくちがう。私が知っている最適の例はシロアリ塚だ。口絵の図10を見て、びっくりしてほしい。ダニエル・デネットが、ボトムアップとトップダウンの設計のちがいと、結果として生じうる類似点や複雑さをわかりやすく示すために、この興味深い比較をつくった。右はサグラダファミリア、バルセロナにある美しい教会だ。

左はオーストラリアのアイアン・レンジ国立公園でフィオナ・スチュアートが撮影したシロアリ塚。シロアリの集団がつくり上げた泥の巣である。実際には、この巣の大部分は地下にある。地上の「教会」は煙突で、その目的は地下の巣の換気と空調である。

不気味なほどよく似ている。しかしバルセロナの教会のほうは、青写真を使って、細かいところまですべて設計《デザイン》されている。設計したのは著名なカタルーニャの建築家、アントニ・ガウディ（一八五二〜一九二六年）だ。シロアリ塚のほうは、誰も、何も、DNAでさえ、設計などしていない。個々の働きシロアリが、単純なルールにしたがって築いたのだ。シロアリ塚はどんな外観であるべきか、ほんの少しでもわかっていたシロアリはいない。脳やDNAのなかに泥の教会のイメージや設計図があったシロアリもいない。シロアリ塚の完成予想図や設計図、デザインといったものはどこにも存在しない。個々のシロアリは、一連の単純なルールに勝手にしたがっただけで、ほかのシロアリたちが何をしているかも知らず、完成形の建物がどんなふうになるかも知らなかった。

そのルールが具体的にどういうものだったか、私は知らないが、単純なルールという表現で意味するのは「先のとがった泥の錐体を見かけたら、そこに少し泥をくっつけろ」というようなことだ。社会生活を営む昆虫は、重要なコミュニケーションシステムとして化学物質——フェロモンと呼ばれるコード化されたにおい——を利用する。そのため、タワーをつくっているときに個々の働きシロアリがしたがうルールは、大建造物の特定の要素が「このフェロモン」のようなにおいがするか、それとも「あのフェロモン」のようなにおいかによって決まるのかもしれない。全体の設計図がどこにも存在せず、単純なルールにしたがうことで「デザイン」が出現するとき、「トップダウン」とは逆の「ボトムアップ」デザインと呼ばれる。

図11は、ボトムアップ「デザイン」の別の美しい例を示している。冬に大群をつくるムクドリだ。この場合、「デザインされる」のは行動であり、建築物ではなく一種の空中バレエである。そのため、「建築士はいない」と言う代わりに、「振付師はいない」と言うことにする。理由はよくわかっていないが、夕方が近づくにつれ、鳥たちは集まって数万羽もの巨大な群れになる。いっせいにかなりの速さで飛ぶ。まるでボス鳥の指示にしたがっているかのように、ぴったり息を合わせ、衝突することなく、いっせいに旋回したり向きを変えたりする。ムクドリの群れが一匹の動物のように動くのだ。その「動物」には、はっきり見える輪郭さえある。この世界の不思議とも言える息をのむような動きを、実際に見るべきだ。ユーチューブで「Starling winter flocks（冬のムクドリの群れ）」を検索してみてほしい。

鳥の大きな塊がまるで巨大な一匹の動物のように旋回し、舞い上がり、急降下するのを見ると、優れた飛行コーディネーター、つまりテレパシーでほかの鳥たちとコミュニケーションをとっている一羽のボス鳥がいるにちがいないと感じてしまう。「さあ、ここで左に曲がって、上に向きを変えて、そして回って、今度は右に振れて……」。完全にトップダウンに見える。でも、そうではない。監督も、指揮者も、振付師も、ボス鳥もいない。その方法は現在理解されつつあるのだが、個々の鳥すべてがそれぞれボトムアップのルールにしたがうことによって、全体でトップダウンに見える効果をもたらしている。これもシロアリに似ているが、時間尺度がもっと短い。鳥たちがつくり出すのは泥の教会ではなく、みごとに振り付けられた空中バレエだ――ただし振付師はいない。

この振付師のいないボトムアップの力は、クレイグ・レイノルズという賢いコンピューター・プログラマーによって、みごとに実証されている。彼は群れる鳥をシミュレーションする、「ボイド（鳥もどき）」というプログラムを書いた。レイノルズは群れ全体の動きのパターンすべてをプログラムしたのだと、あなたは考えるかもしれない。でも彼はそうしなかった。それはトップダウンのプログラミングだろう。そうではなく、彼のボトムアップププログラムは次のように働いた。彼は多大な労力をつぎ込んで、たった一羽の鳥について、「隣にいる鳥から目を離すな、隣があああするなら、あなたはこうしなくてはならない」というようなルールでプログラムした。その一羽のルールを完成させると、それから「クローン」をつくった。その一羽のコピーを何十羽もつくり、すべてをコンピューターに「解き放った」のだ。そして、群れ全体がどうふるまうかを観察した。鳥もどきたちは本物の鳥とまったく同じように群れをつくった。図12は、レイノルズのプログラムを下敷きに、ジル・ファンタウザがサンフランシスコ科学博物館のためにプログラムした、さらに美しいシミュレーションを示している。

重要なポイントは、レイノルズは群れのレベルでプログラムしたのではないことだ。彼は個々の鳥のレベルでプログラムした。結果として群れの行動が現れたが、それはプログラムされたものではない。そしてこの「ボトムアップ」プログラミングは、胚発生の仕組みでもある。胚にある個々の細胞が、群れのなかの個々の鳥の役割を果たしているのだ。胚発生にはさまざまな細胞の動きがかかわっており、膜や組織層がダイナミックに折りたたまれたりへこんだりする。そのため、私たちが話しているのは「建築士がいない」ということだけでなく、飛んでいるムクドリの場合と同じように「振付師がいない」ということでもある。

発生学者は、ＤＮＡがどうやって赤ん坊をつくるのかに取り組んでいる。かなり多くのことがわかってきているが、私はそれを詳しく話すつもりはない。そのためには本がまる一冊必要であり、それはこの本のテーマではない。この本の目的としては、その胚発生、つまり体がつくられる過程は、ボトムアップのプロセスであることを理解するだけでいい。シロアリ塚の築かれ方や、ムクドリの群れのまとまり方と同じだ。青写真はない。その代わり、発育中の胚のすべての細胞が、泥の教会をつくっている個々のシロアリや、旋回する群れにいる個々のムクドリと同じように、独自のちょっとしたローカルルールにしたが

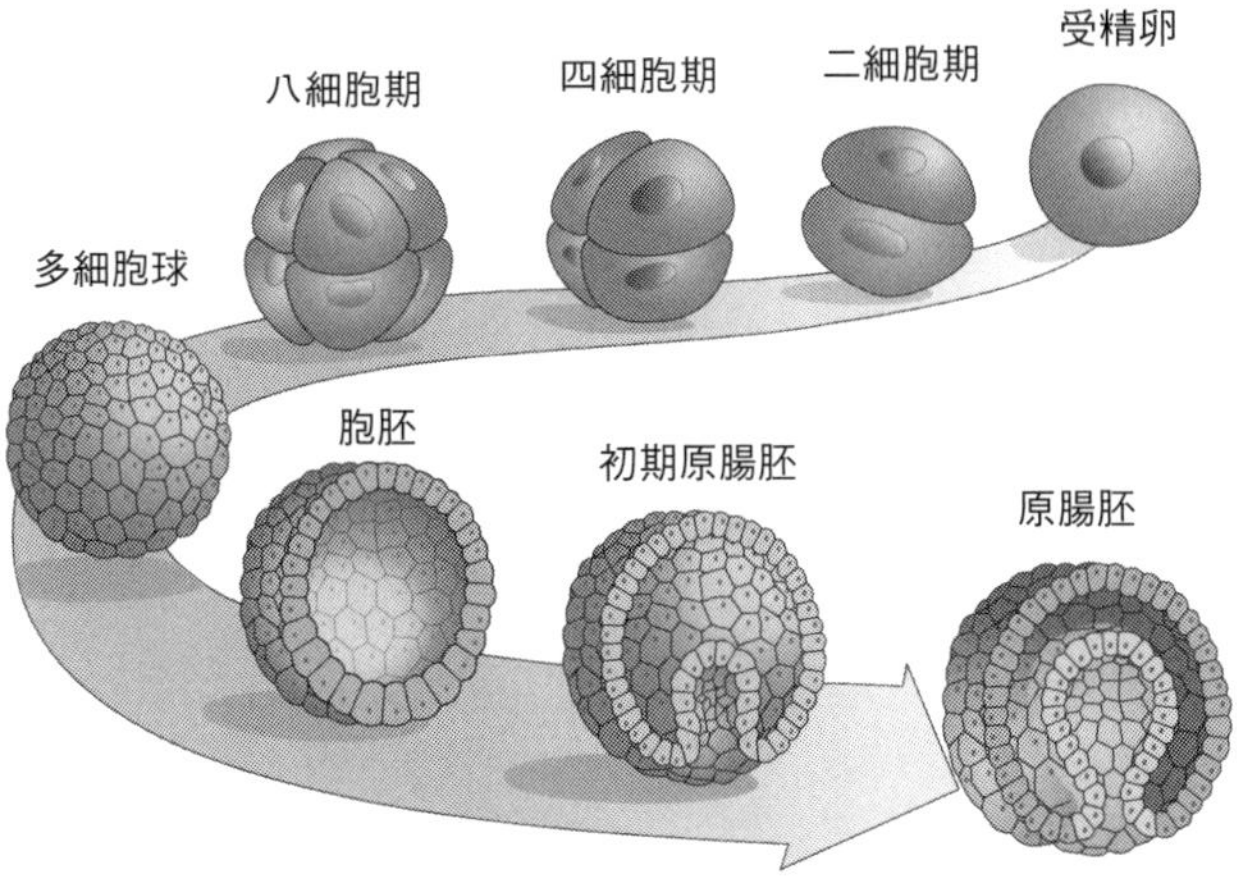

っている。

発生のボトムアップなルール

そうしたボトムアップのルールがどう働くかを示すために、胚発生のごく初期に少しだけ踏み込もうと思う（上の図参照）。ご存じのように、受精卵は一個の細胞、大きい細胞だ。それが二個に分裂する。そしてそれぞれが二個に分裂して四個になる。そして四個が八個に、というふうに続く。それぞれの分裂のあとも、全体の大きさは最初の受精卵と同じである。同じ素材が二個、四個、八個、一六個の細胞に分けられて、一個の中身の詰まった球体をつくっている。細胞の数が一〇〇個かそこらに達するころには、それらの細胞が（ボトムアップのローカルルールにしたがって）胞胚と呼ばれる一個の中空の球体になる。胞胚の大きさはやはりもとの受精卵細胞と同じで、細胞そのものは非常に小さくなっている。球体の外側は細胞の壁だ。

細胞が何度も分裂するので、細胞の数は増えつづける。でも、球体は大きくならない。その代わり、またもや各細胞がローカルルールにしたがって、壁の一部が球体の中心に向かってへこんでいく。最終的に、球体は一層だけでなく二層の細胞で覆われる。この二重壁の球体は原腸胚、それができるプロセスは原腸胚形成と呼ばれる。

たしかに、原腸胚はあまり複雑ではなくて、赤ん坊とは似ても似つかない。でも、各細胞に対するボトムアップのルールが独自に働いて原腸胚を形成していく様子は、あなたにもわかると思う――胞胚の壁を広げて、それが中心へとへこんで二重壁の原腸胚をつくるようにしていくのだ。そして、胚のいたるところでローカルに働きながら、もっと赤ん坊らしくなるように着実に形を変えつづけるのは、そのようなボトムアップのルールなのだ。

原腸胚形成のあと、似たような「へこみ」プロセスが起きる。「神経胚形成」と呼ばれるこのプロセスでは、へこみが最終的に中空の管をつまみ切ることになり、その管がやがて主要神経索（私たちそれぞれの体内で、背骨の内側を腰までずっと続いているもの）になる。神経胚形成におけるへこみは、またもや個々の細胞がボトムアップのローカルルールにしたがって実行される。次の図は、最初は「へこみ」によって、そのあとへこんだ部分を「つまみ切る」ことによって、神経索ができていく様子を示している。細部は原腸胚形成と異なる。だがボトムアップのローカルルールという同じ原則が働いている。

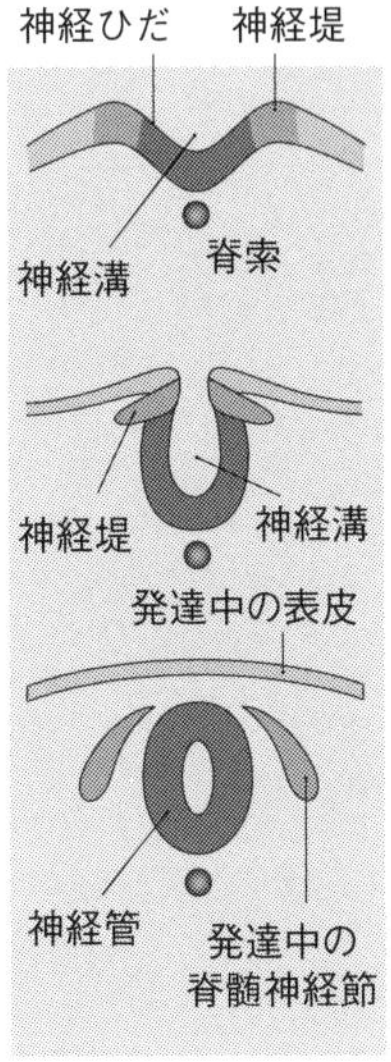

クレイグ・レイノルズが鳥の群れのコンピューターシミュレーション――「ボイド」――を書くのに、たった一羽の「鳥もどき」の行動をプログラミングしたことを思い出してほしい。彼はそのあと、その一羽の「鳥もどき」のコピーをたくさんつくって、それらが一緒にどう行動するかを観察した。すると本物の鳥のように、飛んで旋回する群れをつくった。レイノルズは群れ行動をプログラムしたわけではない。群れ行動は、個々の鳥もどきがローカルルールにしたがう結果として、ボトムアップで現れたのだ。そして、ジョージ・オスターという数理生物学者が同じようなことを、鳥もどきではなく胚の細胞で行なった。一個の細胞のふるまいをシミュレーションするためのコンピュータープログラムを書いたのだ。そのために彼は、生物学者がすでに知っている単一の細胞に関するさまざま

な細かい特徴を利用した。実際、細胞はとても複雑なので、オスターのプログラムも細かい部分はかなり複雑である。しかし重要な点は、ボイドの場合と同じように、オスターが胚をプログラムしたわけではないことだ。プログラムしたのはたった一個の細胞である。分裂は細胞の重要なふるまいであり、その傾向も組み込まれた。しかし単一の細胞はほかのこともする。オスターはそれらも単一の細胞にプログラムした。そしてその細胞を分裂させて、どうなるかを確認した。

細胞が分裂するとき、コピーそれぞれが最初の細胞と同じ特性と同じふるまいを受け継いだ。つまり、クレイグ・レイノルズがたった一羽の鳥もどきのコピーをクローンとしてたくさんつくり、それらが群れの中でどう行動するかを確認したのに似ている。そしてレイノルズの鳥もどきたちがムクドリのように群れたのと同じように、オスターの細胞も……いや、とにかく次の図を見て、細胞たちがやったことを確認してほしい。そして前出の本物の神経胚形成の図と比べてみよう。もちろん、両者はまったく同じではない。レイノルズの群れる鳥もどきも群れるムクドリとまったく同じではなかった。どちらの場合も、私としてはボトムアップ「デザイン」の力をわかってほしいだけなのだ。そこに建築士や振付師はいない。あるのは下位のローカルルールだけ。

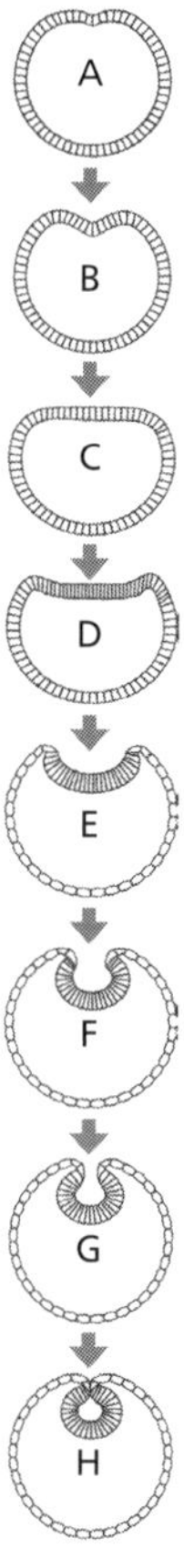

胚発生の後半はここで取り上げるには複雑すぎる。筋肉、骨、神経、皮膚、肝臓、腎臓などさまざまな組織がすべて、細胞分裂によって発育する。細胞は組織ごとにまったくちがうように見えるが、どれも同じDNAをもっている。組織がそれぞれちがう理由は、DNAの異なる範囲——異なる遺伝子——のスイッチが入るからだ。どの組織でも、数万ある遺伝子のうちのほんの一部だけにスイッチが入る。どういうことかというと、どの組織においても、その組織の細胞でつくられるタンパク質、つまり例のきわめて重要な「実験助手」である酵素は、つくられる可能性のある酵素のほんの一部にすぎないということだ——そしてほかの酵素は実際にほかの組織内でつくられる。したがって、異なる組織の細胞は異なる成長の仕方をする。各組織は、ボトムアップのルールにしたがって細胞分裂によって成長する。そして、適切な大きさに達したときに成長を止める。ここでもボトムアップのルールにしたがっている。うまくいかずに、組織が成長を止めないこともある。細胞が分裂を止めろと命令するボトムアップのルールに背くのだ。そういうときに、癌のよ

うな腫瘍ができる。しかし、ほとんどの場合、そういうことは起こらない。

ここで、ボトムアップの胚発生の考えを、第9章の結晶と合わせてみよう。結晶は――黄鉄鉱もダイヤモンドも雪の結晶も――その美しい形を、ボトムアップのローカルルールによって成長させる。この場合、そのルールは化学結合のルールだ。私たちはそうしたルールによって組織化される分子を、パレードする兵士になぞらえた。重要な点は、結晶の形をデザインした人は誰もいないことだ。ローカルルールにしたがうことで、その形が現れた。

次に私たちは、化学結合の法則が――ジグソーのピースが互いにはまり合うのに似たプロセスによって――ふつうの結晶よりも込み入ったもの、つまりタンパク質分子をつくる経緯を見た。さらに、同じようなジグソーのはまり合いで、タンパク質の鎖がとぐろを巻いて「結び目」をつくる。そしてその「結び目」にある「割れ目」のおかげで、タンパク質は酵素、つまり細胞内のごく特定的な化学反応の触媒として、機能することができる。前にも言ったように、「割れ目」はかなり単純化しすぎだ。そうした結び目をつくった分子のなかには、小さなマシンやミニチュアの「ポンプ」もある。またはごく小さな「歩行者」もあって、それは文字どおり細胞内を二本の脚で大股で歩きまわり、せわしなく化学的な用事をしている！　ユーチューブで「Your body's molecular machines（人体の分子マシン）」を検索してみてほしい。びっくり仰天するだろう。

酵素がほかの酵素のスイッチを入れ、その酵素は次にほかの特定の化学反応に触媒作用をおよぼす。細胞内でのそうした化学反応によって、細胞はジョージ・オスターのシミュレーションのように、ローカルルールにしたがって力を合わせて胚を、ひいては赤ん坊をつくる。その過程のあらゆるステップがＤＮＡによって制御されるのだが、やはりまったく同じジグソーのルールが使われている。最初から最後まで結晶に似ているが、とても特殊な種類の複雑な結晶である。

そのプロセスは出産で終わりではない。赤ん坊が子どもに成長し、子どもが大人に成長し、大人が年を取っていくあいだも続く。そして当然、ＤＮＡの個体差は――突き詰めれば無作為の突然変異によって生まれるのだが――ＤＮＡの影響下で「結晶化する」または「結び目をつくる」タンパク質のちがいを生む。そしてそうしたちがいのドミノ効果がずっと続いて、最終的に大人の体のちがいに現れる。ひょっとすると、大人のチーターはほんの少しだけ速く走るかもしれない。または遅くなるかも。カメレオンの舌はほんの少し遠くまで伸びるかもしれない。ラクダは渇きで死ぬ前に、砂漠を数キロだけ余計に移動できるかもしれない。バラのとげはほんの少し鋭くなるかもしれない。コブラの毒がほんの少し強くなるかもしれない。どんなＤＮＡの変異も、長い長い中間効果の連鎖のすえに、タンパク質と細胞の化学的性質に、そして胚発生のパターンに、影響を与える可能性がある。そしてそれが、動物の生き残りの可能性を高めるか減じることになる。そしてそれが、繁殖の可能性を高めるか減じることになる。そしてそれが、変化の原因となったDNAが次世代に受け継がれる可能性を高めるか減じることになる。したがって、何万年何百万年にわたって世代が進むあいだに、集団内で生き延びた遺伝子は「優れた」遺伝子である。速く走る体をつくることに優れている。あるいは長い舌をもつ体を、あるいは水なしで数キロ余計に進める体を、つくることに優れている。

簡単に言うと、それがダーウィンの自然淘汰であり、すべての動植物が自分のやることに優れている理由である。何に優れているのか、細かいことは種によってちがう。でも突き詰めれば、あるひとつのことに優れている。何であれ、自分のやることに優れるためのDNAを、後代に伝えられるくらい長く生き延びること、それに優れているのだ。この自然淘汰を何万世代も経たあと、集団内の動物の平均的な形が変わっていることに、私たちは気づく（または、長生きすれば気づく）。進化が起こったのだ。そして何億年もたつと、魚のように見える祖先がトガリネズミのように見える子孫を生み出すくらい、多くの進化が起こる。そして何十億年もたつと、細菌のように見える祖先があなたや私のように見える子孫を生み出すくらい、多くの進化が起こる。

生きものに関するすべてが今あるとおりなのは、その祖先が何世代ものあいだにそのように進化したからだ。それには人間も含まれるし、人間の脳も含まれる。信心深くなる傾向は、音楽やセックスを好む傾向と同じように、人間の脳の特性である。したがって、宗教信仰に向かう傾向には、私たちに関するほかのあらゆることと同様、進化論的な説明があると推測するのは当然だ。そして同じことは、私たちが道徳的であったり、親切であったりする傾向にも言える。進化論的な説明はどういうものになるのだろう？　それが次章のテーマだ。

第11章　私たちは信心深くなるように進化したのか？　親切になるように進化したのか？

ごく最近まで、ほとんど誰もが何らかの神を信じていた。信心深い人が少数派になっている西ヨーロッパは別にして、アメリカを含めて世界中のほとんどの人が、いまだに神を信じている。科学の教育を十分に受けていない人はなおさらだ。それなら、神への信心に進化論的説明があるはずなのではないか？　宗教信仰、何らかの神への信心が、私たちの祖先が生き延びて、宗教信仰の遺伝子を伝えるのを助けたのでは？

答えはおそらく「そのとおり」なのではないだろうか。そう、ある程度はそのとおり。もちろん、だからといって、どんな神であれ、人々が信じる神が実際に存在するということではない。それはまったく別の問題だ。実際にはないものを信じることが、あなたの命を救う場合もありえる。そういうことが起こる状況はいろいろある。

　ガゼルやシマウマは、怖がりすぎと怖がり不足のバランスをとる必要があるという話を覚えている？　ここで、あなたは大昔、アフリカの平原に住んでいた祖先の時代の人間だとしよう。ガゼルのように、ライオンやヒョウを必要十分に怖がることと、生きるための営みがうまくできないほどには怖がらないことの、ちょうどいいバランスをとらなくてはならない。人間の場合の営みは、イモを掘ったり、配偶者を求めたりすることだろう。あなたは音を聞きつけ、イモ掘りから目を上げる。草のなかに動きが見えるが、それはライオンかもしれない。でも、風かもしれない。あなたはとても大きなイモを順調に掘り出そうとしているところで、やめたくはない。でも、その音はライオンかもしれない。

　あなたがそれはライオンだと信じ、実際にライオンであるなら、その正当な信念はあなたの命を救うだろう。これは理解しやすい。次の部分は理解しにくい。たとえこの場合にはそれがライオンでないとしても、不可解な動きや音は危険を意味すると信じる全般的な用心深さが、あなたの命を救うかもしれない。なぜなら、それが現実にライオンの場合もあるからだ。過剰に反応して、草がサラサラ鳴るたびに怖がって逃げれば、あなたはイモもほかの生きるための営みも逃してしまう。でも、うまくバランスをとっている個人でさえ、知らないうちに、実際にはライオンでないときにライオンだと信じている場合もある。

うそだとわかるかもしれないことを信じる傾向が、命を救うこともあるのだ。そうやって、存在しないものを信じることがあなたの命を救う可能性がある。

エージェントはいたる所に

ここで少し専門的な話をしてみよう。人間には「エージェンシー」を信じる傾向がある。エージェンシーって何？　エージェントとは、目的のために意図的に何かをする主体である。風が背の高い草をサラサラ鳴らすとき、そこに主体性はない。風はエージェントではない。ライオンはエージェントだ。ライオンはあなたを食べることを目的としているエージェントだ。あなたを捕まえるためにとても巧妙に行動を修正し、逃げようとするあなたの努力を阻止しようと、精力的かつ柔軟に取り組む。エージェンシーを怖がることには価値がある。でも、時間と労力の無駄になるかもしれない。エージェントとおぼしきものが風の類いかもしれないからだ。あなたの命に危険が迫る傾向が強ければ強いほど、いたるところにエージェントが見えてしまい、そのせいで時にはうそを信じるほうに、バランスを崩してしまう。

現在、私たちがライオンや剣歯虎を怖がる必要はほとんどない。それでも、現代人が暗闇を怖がることはありえる。子どもはブギーマン（子どもをさらう鬼）を怖がる。大人は強盗の類いを怖がる。夜、一人で寝ているとき、物音が聞こえる。風かもしれない。古い家の木材がきしんでいるのかもしれない。でも武装した強盗かもしれない。ひょっとすると強盗ほど具体的なものではないかもしれない。あなたにしてみれば、風やきしむ木材のようなエージェントでないものとちがって、不特定のエージェントは怖い。エージェントへの恐怖は、たとえ理屈に合わなくても、たとえこの場合には当てはまらなくても、祖先の過去に始まって私たちの内面に潜んでいるのかもしれない。私の同僚のアンディー・トムソン博士はこのことを、著書『なぜ私たちは神（々）を信じるのか（Why We Believe in God(s)）』で、こう言っている。「私たちは影を強盗とまちがう可能性はある。強盗を影とまちがう可能性は低い」。私たちには、たとえ存在しなくても、エージェントが見えてしまう傾向がある。そして宗教とは、要は、いたるところにエージェントが見えることなのだ。

私たちの祖先の宗教は精霊信仰《アニミズム》だった。つまり、目を向ける場所すべてにエージェントが見えて、それを神と呼んだのである。スティーヴン・フライのすばらしい本『神話（Mythos）』から明らかなように、これがギリシアの神々が始まった経緯である。世界中に川の神、雷の神、海の神、月の神、火の神、太陽の神、そして暗い森の神――ひょっとすると悪魔――がいた。太陽は神であり、祈りといけにえを求め、それがなければ明日は昇らないことにするかもしれないエージェントだ。火は神であり、もてなす必要があって、それがなければ消えてしまう。雷も神である――神のほか何が、あれほど恐ろしい音を説明できるだろう？　天気は一般に予測できず、しかも生命にとってとても重要だったので、その変わりやすさの背後にエージェントがいると考えるのが自然だった。ひどい旱魃《かんばつ》を終わらせる方法がきっとあるはずでは？　雨の神にとても大がかりないけにえを捧げれば、終わらせられるかもしれない。ひどい嵐に家を壊された。私たちが嵐の神を十分にたたえなかったから、神々が怒っているのかもしれない。

ヤハウェは人々の心のなかで進化し、ユダヤ教の唯一神になり、やがてキリスト教とイスラム教でも唯一神になった。それより前、彼はカナン人の大勢いる神々のうちの「嵐の神」だった。もともと青銅器時代のカナン人がヤハウェとともに崇拝していた神々には、豊穣の神バアル、主神エル、そしてその妻の女神アシュラなどがいた。一部の宗教史学者によると、ヤハウェはのちに人々の心のなかでエルやアシュラと融合し、最終的にユダヤ教の唯一神になったという。したがって、青銅器時代の精霊信仰が、鉄器時代にはシンプルに一神教になったのだ。のちにキリスト教とイスラム教はユダヤ教の神を採用した。そしてカナン人にとっての嵐の神はさらに洗練され、オックスフォードやハーバードの博学な教授による神学書の主人公になった。

偽陽性と偽陰性

人々は旱魃が終わることを願って、雨の神にいけにえを差し出した、と先ほど話した。

でも、なぜ彼らはそれが助けになると考えたのか？　人間の脳はパターンを探す。自然淘汰は私たちの脳に、何のあとに何が起こるという並び順のような、パターンに気づく傾向を組み込んだ。稲光のあとに雷が鳴り、灰色の雲が集まったあとに雨が降り、雨が降らなければ穀物は育たないことに気づく。しかし「何のあとに何が起こる」はそう単純ではない。「何のあとに何が起こる」は「何のあとに何が必ず起こる」ではなく、「何のあとに何がときどき起こる」という意味だとわかる。妊娠はセックスのあとに起こるが、ときどきにすぎない。

私たちは、ほんとうはパターンなどないときに、パターンに気づいたと思うことがよくある。ほんとうはパターンがあるのに、それに気づかないことも多い。統計学者と呼ばれる数学者は、人がパターンを見分けようとするときの二通りのまちがえ方を区別する。呼び方は偽陽性と偽陰性。偽陽性は、パターンがないときにパターンが見えると思うこと。迷信は典型的な偽陽性のまちがいだ。偽陰性は、現実にパターンがあるときにそれに気づかないこと。蚊に刺されることとマラリアにかかることには、現実にパターンがある。ところが刺されたあと必ず起こるわけではなく、一八九七年にロナルド・ロス卿が気づくまで、誰も気づかなかった。目の前を黒猫が横切ることとその後の不運には現実のパターンはない。しかし多くの迷信深い人々は、その偽陽性を信じている。

去年、雨の神に祈ったら雨が降った。そのパターンにはきっと意味があるのでは？
いいえ、意味はなかった。偽陽性だ。いずれにせよ雨は降っていた。でも、その迷信を振り払うのは難しい。

子どもが熱を出した。神にヤギをいけにえとして差し出したら、子どもは回復した。だから今度誰かが高熱を出したら、ヤギをいけにえにしたほうがいい。

いずれにしても免疫系がマラリアを治すことは多い。でも、ヤギをいけにえにすることが効果を上げたのだと確信している迷信深い人に、そのことを試しに話してみてほしい。

いつも繰り返されるパターン――何かのあとに何かが毎回確実に起こること――に気づいたとしても、前の出来事が後の出来事の原因だったことの証明にはならない。ラントン・エイコーン村の教会の時計はいつも、隣のラントン・パールヴァ村の教会の時計より少し前に正時を知らせる。でも、ラントン・エイコーン村の時計がラントン・パールヴァ村の時計が鳴る原因なのか？　観察だけではこの疑問を解決できない。繰り返し観察されてもだめだ。原因を実証する確実な方法は実験だけである。状況をコントロールする必要がある。ラントン・エイコーンの塔に登り、時計を止める。そうするとラントン・パールヴァの時計は鳴らないのか？　次に実験的に、ラントン・エイコーンの時計を一〇分進める。それでもラントン・パールヴァの時計はすぐあとに鳴る？　もちろん、偶然――無作為の運――を排除するために、実験をかなりの回数繰り返さなくてはならない。

見かけのパターンが現実にあるかをテストする適切な実験を行なうには、教養のある、ひょっとするとかなりオタクな頭脳が必要だ。わざわざ教会の時計の実験をするには、実際にかなりオタクでなくてはならない。そして、物音がほんとうにライオンなのかという疑問の場合、実験的なアプローチは命にかかわるおそれがある。私たちの祖先が迷信に頼ったのも不思議はない。

Ｂ・Ｆ・スキナーという有名な実験心理学者が、ハトで迷信を実証している。彼のハトは実際にはないパターンに「気づいた」。偽陽性のまちがいだ。八羽のハトが一羽ずつ別々に「スキナー箱」と呼ばれる箱に入れられた。それぞれの箱には電動の餌やり装置がついていて、空腹のハトに餌をやることができる。通常、スキナー箱は鳥が箱の壁面についているスイッチをつつくなど、何かをしたときだけ餌を出す。しかしこの実験の場合にかぎって、スキナーはちがうことをした。餌やり装置と鳥の行動のつながりを断ったのだ。鳥がやることは、餌がもらえるかどうかになんの影響もおよぼさなかった。鳥が何をしようと、それどころか何もしなくても、一定の時間間隔で餌を出す。

その結果がとても興味深い。八羽のうちの六羽が、さまざまな迷信的習慣を身につけたのだ。一羽は餌と餌のあいだに二回か三回、反時計回りにぐるぐる歩きまわった。そのハトは反時計回りに回ることで餌が出てくるという迷信を信じたと言える。二番目のハトは箱上部の片隅に頭を繰り返し押しつけた。そうすれば餌やり装置に餌を出すよう説得できると「考えた」。ほかの二羽は頭を「振る」習慣を身につけた。頭を左か右にすばやく突き出し、そのあとゆっくりもどす。もう一羽の迷信的習慣は、存在しない物体を空中に放り投げるかのように、頭を上に向かってつんとそらす。そして六羽目は、実際には床をつつかずに、ただ床に向かってついばむ動きをした。

スキナーはそれを迷信行動と呼んだが、それは正解だったと私は思う。そこではこんなことが起こっていたにちがいない。ハトは餌やり装置がガチャリと作動する直前に、たまたま、たとえば頭を片隅に押しつけるなど、特定の動きをしただけである。しかしハトは、その頭の動きをするから餌が届くのだ、と（意識的とは限らないが）「考えた」。だから、またそれをやった。そしてたまたまそれが、次に食べ物が届くタイミングだった。ハトはいちど餌が届く前にたまたまやったことを繰り返し、それぞれ異なる迷信的習慣を覚えた。私たちの祖先が、たとえば子どもの熱を下げるために祈ったり、ヤギをいけにえにしたりするという習慣を身につけたのも、そういうことだったように思われる。スキナーのハトと人間の似ているところはほかにもある。世界各地の民族は、地域ごとに異なる迷信をつくり出している。六羽のハトが入っていたスキナー箱は、それぞれの「地域」だったと言える。

ギャンブラーもまた、ルーレットであれスロットマシンであれ、何をやるにしても儲かるかどうかは無作為だ。あるギャンブラーは、「幸運のお守り」を首につけているときのほうがつきがあると気づく。あるいは、いちど幸運を祈ったらすぐに大当たりが出た、と。スキナーのハトと同様、彼はそれをまたやる。また大当たりが出ることはないのだが、祈る習慣をやめられない。スロットマシンが大当たりを出す確率にも、ルーレット上の球が望みどおりの場所に入る確率にも、あなたは影響をおよぼせない。それでもモンテカルロからラスベガスまで、いたるところのギャンブラーたちは、自分にはそれができるという迷信を信じきっている。

昔、コンピューターに画面《ディスプレイ》がついていなかったころ、代わりにテレタイプで内容をプリントアウトしていた。大学のコンピューター室で仕事をしていたとき、私は一人の学生がコンピューターの反応にひどくイライラしているのを見た。彼はそんなことをしてもコンピューターに急がせることなどできないとほんとうはわかっていたはずだが、繰り返しテレタイプをコンコンとたたいている。ひょっとすると、コンピューターがたまたま結果を吐き出す直前に、それをやったことがあって、その迷信的習慣をやめられなかったのかもしれない。スキナーのハトと同じだ。

旱魃のとき、私たちの祖先が雨の神にいけにえを差し出すことを思いついたとしよう。

毎日だ。するとやがて雨が降った。雨の神が説得されるまでには、たくさんのいけにえが必要だったのだろう――と彼らは考えた。迷信深い人々は、いずれにしても雨が降るかどうか確認するのに、雨の神にいけにえを差し出さないという実験を試さなかった。それは科学者がすることだ。しかし私たちの祖先は科学者ではなかった。そして雨の神にいけにえを差し出さないリスクを冒そうとしなかったのだ。

もちろんこれは憶測だ。でも、説得力があると思う。それこそまさに、いまも多くの部族民がやっているようなことだ。そしてスキナーの実験は憶測ではない。実際に起きている。人間のギャンブラーがラッキーナンバーや幸運のお守りや祈りを信じることも、憶測ではない。何が起こるかに不確定要素（いわゆる「偶然」や「運」）が多く、しかも特定の結果を望むときはいつも、人は祈る、または迷信的習慣を身につける傾向がある。迷信そのものは、祖先が生き延びる助けにはならなかっただろう。しかし周囲にパターンを探す――出来事のあとにほかの重要な出来事が続くことに気づく努力をする――傾向は、役に立ったかもしれない。そして迷信はその副産物だった。食べられてしまうリスクと十分に食べることができないリスクのバランスをとるシマウマと同じように、人間のパターン探しも二つのリスクのバランスをとらなくてはならなかった。つまり、存在しないパターンに気づく（迷信のような偽陽性のまちがいの）リスクと、パターンがあるときにそれに気づかない（偽陰性のまちがいの）リスクのバランスだ。パターンに気づく傾向に自然淘汰は味方した。迷信と宗教的信仰は、その傾向の副産物だった。

　ここで、別の考え方を話そう。私たちの祖先は危険な場所、アフリカのサバンナで暮らしていた。毒をもつヘビやサソリやクモやムカデ類が足元にいる。木立《こだち》にはニシキヘビやヒョウが、茂みの背後にはライオンが、川にはワニが潜んでいる。大人はこうした危険を知っているが、子どもは教えてもらう必要がある。親は必ず子どもに警告した。現代の親が子どもに、道路を渡る前に左右を見るよう警告するのと同じだ。自然淘汰は子どもに警告した親に味方した。そして自然淘汰は親を信じる傾向を子どもの脳に組み込む遺伝子に味方した。

　ここまでは理解しやすい。ここからが微妙な部分だ。大人が子どもに良いアドバイスと一緒に悪いアドバイスを与えても、子どもの脳には良いものと悪いものを区別するすべがない。子どもの脳にその区別ができたなら、どのみち大人のアドバイスは必要ない。子どもはたとえばヘビが危険だとわかるだろう。肝心なのは、もし子どもがすでにわかっていたら、親が教えるまでもない、という点だ。そのため、なんらかの理由で親が子どもに無駄な助言――たとえば「一日に五回祈らなくてはならない」――を与えたとしても、子どもにはそれが無駄だとわかりようがない。自然淘汰は、「親が言うことは何でも信じろ」というルールを子どもの脳に組み込むだけだ。そしてそのルールは、たとえ「親が言うこと」が実際にはばかげていたり、うそだったりしても、効力を発する。ハトのような迷信にもとづいていても、そうなる。

それにしても、なぜ親が子どもにばかげたことやうそを教えなくてはならないのか、とあなたは疑問に思っているのでは？　いやいや、親自身もかつては子どもだった。かつては自分の親からアドバイスされていた。彼らもまた、どのアドバイスが良くてどのアドバイスが無駄か、またはまちがっているか、判断しようがなかった。良くても悪くても、アドバイスは次の代に伝えられる。そもそもどうやって始まったのかについては、ハトのような迷信がいきさつの一部だったのだろう。そして世代が進むにつれ、無駄なアドバイスや迷信のアドバイスは、第2章、3章で見たのと同じ伝言ゲーム効果によって、脚色され増幅される。世界のあちこちで、さまざまなアドバイスが伝えられる。それこそまさに、私たちが世界を見回すとき、起こっていると気づくことなのだ。

もちろん、一部の賢い子どもは大人になって証拠を目にし、前の世代から伝えられたまちがったアドバイスや無駄なアドバイスと決別する――そういうアドバイスを卒業するのだ。この本のタイトルを考えてみてほしい。でも、いつもそうなるとは限らず、これで宗教がどういうふうに始まり、なぜしつこく続くのか、ある程度説明がつくと私は考えている。これは副産物説とも言える。一日五回祈る必要があるとか、マラリアを治すためにヤギをいけにえにする必要があるというような、無駄な考えや迷信は、合理的な考えの副産物として伝えられる。もっと言えば、自然淘汰によって子どもの脳が、親や教師や聖職者など年長者を信じるように形成されることの副産物だ。そして年長者が子どもに教えることの多くは合理的なので、自然淘汰はそういう脳の形成に味方する。

副産物説は、宗教信仰に対する真に進化論的な説明である。真の進化論的説明でいちばん重要なのは、遺伝子が集団内で増えていくということだ。進化論的説明にちょっと似ているが、実際にはちがう説明がほかにもある。たとえば、集団や国全体が宗教のおかげでよりうまく生き延びる、という説だ。そしてこれは宗教そのものが生き延びることを意味する。二つの国家に異なる宗教があるとしよう。一方には、ヤハウェやアッラーのように戦争好きの神がいる。またはヴァイキングの好戦的な神のような。そのような神に仕える聖職者たちは、戦争で勇敢にふるまうことの徳を説く。殉死する兵士は特別な殉教者の天国に直接行くのだ、と教えるかもしれない。でなければヴァルハラに直接行くのだ、と。部族の神のために戦って死んだ者たちには、天国で美しい処女《おとめ》が待っているとさえ約束するかもしれない（あなたも私と同じように、かわいそうな処女が気の毒だと思うだろうか?）。他方の国家には平和な神がいる。その聖職者は戦争を唱道しない。戦死する者たちへの天国での至福を説きはしない。どんな種類の天国もまったく説かないかもしれない。ほかがすべて対等だとしたら、勇敢な兵士がいるのはどちらの国だろう？　どちらの国家が相手を征服する可能性が高い？　つまり、どちらの宗教が広まる可能性が高い？　答えは自明だ。イスラム教がアラビアから中東とインド亜大陸全体に広まったのは、軍事征服のおかげだというのは歴史的事実である。スペインの征服者によりキリスト教が中南米に広まったのにも、同じことが言える。

宗教が国や部族を助けるのは、戦争中だけではない。共通の宗教、共通の神話や儀式や伝統は、社会がメンバー全員のためになるように団結して協力するのを助ける、と考えられている——とても説得力があると私は思う。現代科学は雨乞いの祈りが天気に影響するはずがないと知っているので、雨乞いの祈りをすることはばかげているように思えるかもしれない。でも、リズミカルな雨乞いの踊りで一体になることが、部族内の結束と協力を促す助けになるならどうだろう？　これは一考に値し、尊敬すべき同僚たちが考察している。*宗教が栄える進化論的でない理由としてもうひとつ考えられるのは、王と聖職者が国民の信仰を、社会を支配する手段として利用したという説だ。さらに別の理由は（これはじつは真の進化論に近い）、宗教思想を含めた思想そのもの——私はそれを遺伝子と区別するために「ミーム」と呼んでいる——が、人の頭のなかで数を増やすために、遺伝子のような方法でライバルのミームと競合する、という説である。こうしたさまざまな説を掘り下げるスペースがここにはない。私としてはただ、どんな論争が続いているかを知って

＊　たとえばジョナサン・ハイトの『社会はなぜ左と右にわかれるのか——対立を超えるための道徳心理学』（高橋洋訳、紀伊國屋書店）、ユヴァル・ノア・ハラリ『サピエンス全史——文明の構造と人類の幸福』（柴田裕之訳、河出書房新社）。

もらうために、ここに挙げたのだ。でも、先に進まなくてはならない。

親類には親切にせよ

第6章で私は、なぜ自然淘汰が親切に味方するかという問題に第11章でもどると約束した。少なくとも限られた種類の親切、つまり道徳律、善悪の観念、そして善行の望ましさを支える、進化的基盤のようなものとして役立つかもしれない親切の話だ。でも、まず言っておかなくてはならないのだが、第6章で見た道徳律の変化のほうがはるかに重要である。自然淘汰は、限定的な親切のための基礎を脳に組み込むかもしれないが、意地悪の基礎も組み込む。そしてたいていそこにバランスがある。歴史上、そのバランスはたえず変化している。第6章で見たように、親切な方向への変化だ。

では、親切の進化的根拠とは何だろう？　第8章で見たとおり、進化とは要は遺伝子が遺伝子プールで数を増やすのに成功することだ（それが成功の意味である）。個体がより速く（競走馬のように脚が骨折するほど速くはないが）走るようにする遺伝子は増える。ガ、トカゲ、カエルが樹皮を背景にすると見えにくくなるようにする遺伝子は増える。親が子どもの面倒を見るようにする遺伝子は増える。なぜなら、それと同じ遺伝子のコピーが子どもの体内にあるからだ。そのため、自分の子どもに親切にすることは、自然淘汰に関するかぎり、考えるまでもないことだ。

でも、あなたの遺伝子のコピーをもっているのは子どもだけではない。孫、めい、おい、姉妹、兄弟ももっている。関係が遠くなればなるほど、遺伝子が共有される確率は低くなる。子どもや妹の命を救う遺伝子が、その子どもや妹と共有されている確率は五〇パーセント。おいの命を救う遺伝子が、救われたおいの体内に存在する確率は二五パーセント。いとこの命を救う遺伝子が、救われたいとこの体内に存在する確率は一二・五パーセント。*

そのため自然淘汰は、いとこの命を救ったり助けたりするのに、ちょっとしたリスクを冒す個体に味方する。しかし、めいの命を救うためにはもっと大きいリスクを冒すことに味方する。そして妹や息子の命を救うためになら、さらに大きなリスクを冒すことに味方する。直接命を救うだけでなく、食べ物を与えるとか、捕食者から守るとか、悪天候をしのぐ住まいを与えるなど、どんな形であれ助けることに味方する。

理論的には、自然淘汰は息子に食べ物を与えることに味方するのと同じくらい、弟に食べ物を与えることにも味方する。しかし現実には、弟や妹より息子や娘のほうが、食べさ

* ここの数字はきちんと理解されなくてはならない。それにはちょっと注意がいる。私たちの遺伝子は、いずれにせよみんなと共有されている、という話をあなたも読んだことがあるかもしれない。それは事実であり、私たちは遺伝子の大部分を、チンパンジーなどの多くの動物とも共有している。私がいとこなど親類のこととして挙げた数字は、集団内の全員が共有する一種の「基準」確率に加えて、遺伝子を親類と共有する確率のことである。

せることが助けになる機会は多い。そのため、親による世話のほうがきょうだいによる世話より一般的だ。きょうだいによる世話は実際、アリ、ミツバチ、カリバチ、シロアリのような社会性のある昆虫で真価を発揮している。アメリカにいるドングリキツツキのような鳥、そしてアフリカにいるハダカデバネズミのような哺乳類にも言える。

動物は誰が自分の近親者なのか「知っている」とは考えられない。遺伝子の自然淘汰は鳥の脳に、「子どもに餌を与えろ」というようなルールを組み込むのではない。そうではなく、「あなたの巣の中で口を開けてピーピー鳴くものに餌を与えろ」というようなルールだ。だからカッコウは、ほかの鳥の巣に卵を産みつけて逃げてしまうのだ。カッコウのヒナはたいてい真っ先に孵《かえ》り、里親が産んだ卵を放り出す。里親は遺伝子が脳に植えつけたルールにしたがう。「あなたの巣の中で口を開けてピーピー鳴くものに餌を与えろ」。カッコウのヒナはまさに巣の中でピーピー鳴いているので、餌をもらえる。

野生状態だった私たちの祖先は、ヒヒと同じように小さな移動集団で暮らしていたのだろう。そのあと小さな村をつくった。どちらも拡大家族に相当するものだ。村や集団の誰もが、自分のおじ、いとこ、またはめいだった。そのため、「誰にでも親切にしろ」というような脳のルールは、「遺伝的な親族に親切にしろ」と同じことだった。現在、私たちはもう小さな村で暮らしているわけではない。知っている人はみな、いとこかめいか、その他の親類であるということはない。しかし脳のルール「誰にでも親切にせよ」はいまだに適用される。なぜ私たちは見知らぬ人に友好的になる傾向があるのか、その進化論的理由のひとつである。

残念ながら、物事には裏側がある。小さな集団や村で暮らしていた祖先の脳内では、「前に会ったことのない人には敵意をもて」というルールは、「親類でない者には敵意をもて」に等しかった。あるいは「自分や自分の知っている人と見かけがまったくちがう者には敵意をもて」。そのような脳のルールが、人種的偏見や、最近の移民のような「よそ者」と認識される者への敵意の、生物学的起源だったのかもしれない。

しかし、人間の脳が示すのは無意識の経験則だけではない。アリやドングリキツツキとちがって、人間には誰が誰の親類かを実際に知ることができる脳の力がある。言語の助けがあればなおさらだ。「誰にでも親切にせよ」という脳のルールより、もっと具体的な「自分の親類だときちんとわかっている人には親切にせよ」という脳のルールのほうが、少なくともある程度は勝っている。

カラハリ砂漠のクン族は、どんな現代人よりも祖先に近いとされている。淡褐色のクン族は、黒色の侵入者が北からやってくるずっと前に南アフリカにいた。彼らは狩猟採集民で、家族集団で暮らしている。そして集団それぞれが狩りの縄張りの所有権を主張している。もし誰かがライバル集団の縄張りに迷い込んだら、自分はその集団の誰かと関係があると所有者を説得できなければ、危険にさらされる。あるとき、ギャオという男が自分の縄張りの外にあるカドゥムという地域で捕らえられた。カドゥムの住民は敵対的だった。しかしギャオは、カドゥムにギャオの父親と同じ名前の人がいると説得できた。そしてカドゥムに、やはりギャオと呼ばれる者がほかにいることもわかった。これは彼らに共通の親類がいることを示唆している。そこでカドゥムの人たちはギャオを受け入れ、彼に食べ物を与えた。

ニューギニア中心部の山々は、何千年ものあいだ、世界のほかの地域から孤立していた。一九三〇年ごろ、オーストラリアとアメリカの探検隊が、約一〇〇万人のニューギニア高地人を発見して驚いた。外部の誰も、彼らがそこにいることを知らなかったのだ。最初の出会いは双方にとってとても恐ろしかった。考古学によると、ニューギニア高地人はおよそ五万年前からそこにいた。クン族のようにいまだに狩猟採集民の部族もいれば、九〇〇〇年ほど前に穀物を育てる生活に変えた部族もいる。九〇〇〇年前といえば、中東、インド、中国、中央アメリカで、それぞれ無関係に農業が始まった時期のほんの少しあとだ。ニューギニア高地人は何百という部族に分かれていて、互いに互いの言語を理解できない。しかもほかの部族民には激しい敵意を示す。そしてクン族と同様、同じ部族でも血縁のない近隣の集団に敵意を示す。一部の地域では、異なる血縁集団の縄張りに迷い込んだ者は、殺される危険にさらされる。共通のいとこなどの親類がいるかどうかを、話し合いで探ることによって救われる可能性はある。共通の親類を特定できれば友好的に別れるだろう。

もしできなければ、おそらく死ぬまで戦うことになるようだ。

疑わしきには親切にせよ

自然淘汰が親切に味方する理由は、親族関係のほかにもある。そちらのほうが親族関係より重要かもしれない。この説は互恵的利他主義と呼ばれる。今日、私があなたに親切にすれば、明日、あなたが私に親切にする可能性が高い。逆も真である。それが「互恵」だ。「利他主義」も親切にすることを指す。したがって「互恵的利他主義」とは、自分に親切な人にお返しに親切にすることを意味する。

互恵的利他主義は意識されるとは限らない。たとえ自覚はなくても恩に報いる脳をつくる遺伝子に、自然淘汰が味方することはありえる。ジェラルド・ウィルキンソンという科学者が、吸血コウモリを使った巧妙な実験を行なっている。このコウモリは牛のような大きい動物の血を糧にする。日中は洞窟で寝て、夜になると食べ物を求めて出てくる。餌食を見つけるのはとても難しいが、もし見つけることに成功すれば、血はたっぷりあるのでコウモリは腹いっぱい詰め込み、余分な量を腹に入れて、日中を過ごす洞窟に飛んで帰る。しかし餌食を見つけられないコウモリは、飢え死にする危険がある。小さなコウモリは私たちよりよほど、危険な飢餓と隣り合わせで生きているのだ。そしてウィルキンソンは納得できる形でこれを明らかにした。

夜の狩りのあとに洞窟にもどってくるとき、飢えているコウモリもいれば、余分な血を詰め込んでいるものもいる。飢えているコウモリは腹いっぱいのコウモリに施しを求め、後者は前者に与えるために、自分の腹に入っている血の一部を吐き出す。翌日、役割は逆になるかもしれない。幸運だったコウモリが今度は飢え、飢えていたコウモリが今度は運に恵まれるかもしれない。そのため理論的には、個々のコウモリにとって、ついていた夜の狩猟のあとに気前よくすることが自分のためになりうる。ついていなかった夜にお返しを期待できるからだ。

ここからがウィルキンソンの行なった巧妙な実験だ。彼は二カ所の別々の洞窟で捕まえてきたコウモリを使った。同じ洞窟のコウモリは互いを知っているが、ちがう洞窟のコウモリどうしは互いを知らない。ウィルキンソンは実験的に、一度に一匹のコウモリを飢えさせた。そのあとそのコウモリをほかのコウモリと一緒にして、ほかのコウモリが食べ物を与えるかどうかを見る。親しい「仲間たち」と一緒にすることもあれば、ちがう洞窟から来た見知らぬコウモリたちのなかに入れることもあった。すると、結果は一貫して同じになる傾向があった。ほかのコウモリは、飢えているコウモリをすでに知っている場合は食べ物を与え、知らない場合――「まちがった」洞窟のコウモリである場合――は与えなかったのだ。もちろん、同じ洞窟のコウモリは遺伝的につながっていた可能性もある。のちにウィルキンソンと同僚が行なった研究によって、この場合はそのお返し――親切な行ないへのお返し――のほうが親族関係より重要であることが明らかになった。

　ウィルキンソンの結果にあなたは心から納得するかもしれない。あなたは人間であり、人間もそういうふうにふるまうからだ。私たちは自分に親切にしてくれた人に強い感情を抱く。さらに、自分が誰の頼みを聞いてあげたかをわかっていて、お返しを期待する。誰かに返す必要のある借りを感じ、借りを返さなかったら罪悪感を抱く。誰かが借りや親切のお返しをしない場合、恨みに思って失望する。

　ここで、私たちの遠い祖先の過去を思い返そう。例の小さい村か集団で暮らしている誰かの立場で考えてみてほしい。あなたはみんなを知っていて、特定の誰かとの借りや貸しを覚えているだけではない。これから一生、その人と同じ村で暮らすこともわかっている。村の誰もが、将来も長きにわたって力を貸してくれる人になる可能性がある。脳のルール「少なくとも最初は、または信頼できないもっともな理由ができるまでは、みんなに親切にせよ」が、自然淘汰によって組み込まれる可能性は高い。いつお返しが必要になるかわからない。現代人の脳が祖先から同じ脳のルールを受け継いでいるのも、もっともに思える。たとえ現在、私たちは二度と会わない人とばかり会うような大都市で暮らしているにしても、そうしない妥当な理由がないかぎり、誰にでも親切にするという脳のルールがいまだに生きている。

　お返しの考え、親切心のやり取りという考えは、あらゆる取引の根っこにある。現在、自分で自分の食べるものを育て、自分の衣服をつくり、自分自身の筋力で場所を移動する人はほとんどいない。食べ物は地球の反対側にある農場からも来る。私たちは着る衣服を買い、つくり方をまったく知らない車や自転車で動き回る。私たちが乗る列車や飛行機は、大勢の他人によって工場でつくられるが、そのなかに、全体がどう組み立てられるかを知っている人はおそらく一人もいない。引き換えに私たちが差し出すのはお金だ。そのお金は、自分ができることをやることで稼いだものである。私の場合は本を書き、講演をすること、医者の場合は人を治療すること、弁護士の場合は法廷で議論の応酬をすること、整備工の場合は車を直すことだ。

もし私たちが一万年さかのぼって祖先の世界に連れて行かれたら、ほとんどの人が生き延びるのに苦労するだろう。当時、たいていの人は自分の食べるものを育てたり、見つけたり、掘り出したり、狩ったりしていた。石器時代、誰もが自分で自分の槍をつくっていたかもしれない。しかし、槍の先をとくに鋭くするフリント削りの達人がいただろう。同時に、槍を力強く正確に投げられるが、そもそも槍をつくるのはあまりうまくない狩りの達人がいたかもしれない。親切心の交換より自然なことはあるだろうか？　あなたが私に良質の鋭い槍をつくってくれたら、それを使って私が手に入れる肉をいくらかあなたにあげましょう。

のちの青銅器時代、さらに鉄器時代には、専門の鍛冶屋が肉と交換に槍をつくるスキルを提供した。専門の農民は鍛冶屋に、耕作に必要な土掘りの道具と交換で穀物を提供した。さらに時代が進むと、交換は間接的になった。「食べ物を手に入れるための道具をつくってくれたら、あなたに食べ物をあげましょう」の代わりにお金か、それに相当するもの、たとえば将来的に借りを返すしるしとしての借用書を与えたのだ。

いまでは、お金が関与しない直接的な物々交換はまれである。課税できないので違法でさえある。しかし私たちの一生は、異なるスキルをもつ他人の必要性に支配されている。そして「疑わしいときは親切にせよ」という脳のルールは、いまだに私たちの脳内にある。「信頼関係を築き上げていないかぎり、疑う心構えをせよ」という、同じくらい古いが矛盾する脳のルールとともに。

そういうわけで、親切にすることへの進化論的圧力は実際にあるようだ。それが私たちの善悪観のそもそもの基礎として働いているのかもしれない。しかしその基礎は、第6章で話したような、のちに習得される道徳観念にひっくり返されると私は思う。そしてこの章で話したことは、第5章の結論を変えてはいない。つまり、私たちが善良であるために神は必要ない。

第12章　科学から勇気をもらう

ダーウィンが現れる前、生物界の美しさと複雑さがデザイナーなしで生まれたというのは、ほとんど誰にとってもばかげているように思えた。その可能性を真剣に考えることにさえ、勇気が必要だった。ダーウィンにはその勇気があり、いま私たちは彼が正しかったことを知っている。ただ、科学にはいまだに解決されていない問題がある——現在わかっていることの空白部だ。そのため、ダーウィンが現れる前に生命について言われていたのと、同じようなことを言いたがる人もいる。「そもそもどうして進化のプロセスが始まったのか、まだわかっていないのだから、神が始めたにちがいない」。「宇宙がどうして始

まったのかは誰にもわからないのだから、神がつくったにちがいない」。「物理の法則がどこから来るのかわからないのだから、神が決めたにちがいない」。私たちの理解のどこに空白があるにしても、人はその空白を神でふさごうとする。ところが厄介なことに、しょっちゅう科学が現れて、空白を埋めていく。ダーウィンは最大の空白を埋めた。残っている空白も科学がやがて埋めると期待する勇気を、私たちはもたなくてはならない。それがこの最終章のテーマである。

かつて、生きものは神によってつくられたにちがいない、というのは単純な常識だった。ダーウィンはまさにその常識を論破した。この章では、常識に対する私たちの自信をぐらつかせるつもりだ。手始めに比較的ささいな例を取り上げ、だんだん重要なものへと進んでいく。どの例も「冗談だろ！」で締めくくる（これは偉大なテニスプレーヤー、ジョン・マッケンローの記憶に残る言葉だ。彼はあやしいライン判定に疑問を投げかけるとき、よくこの言葉を使っていた）。そのあとさらに重大な例にもどる。宇宙の起源など、いまのところ未解決の問題を説明するには神がいなくてはならないという、見かけの常識である。

二〇一四年、アメリカで一人のティーンエージャーが貯水池におしっこをするところをカメラにとらえられた。そのため地元の水道局は、推定三万六〇〇〇ドルの費用をかけて、貯水池の水を抜いてきれいにする決定を下した。抜かれた水の量は約一億四〇〇〇万リットル。おしっこの量はおそらく〇・一リットルくらいだっただろう。したがって、水に対するおしっこの割合は、一〇億分の一にも満たなかったわけだ。貯水池には鳥の死骸や瓦《が》礫《れき》があったし、おそらくたくさんの動物が誰も気づかないうちにそこにおしっこをしていただろう。しかし、多くの人々が感じた「ゲーッ」という反応がひどかったので、たった一人の人間がおしっこをしたとわかっただけで、貯水池は水を抜かれて掃除された。それって理にかなっているのか？　もしあなたがその貯水池の責任者だったらどうしただろう？

あなたはコップ一杯の水を飲むたびに、ユリウス・カエサルの膀胱を通った分子を少なくとも一個は飲む可能性が高い。

冗談だろ！　でも事実だ。

こういう論理だ。世界中の水はすべて、蒸発し、雨となり、川に集まり、というふうにずっと再循環している。つねにそのほとんどが海にあり、残りの世界中の水はすべて、数十年かけて海を経由して循環している。コップ一杯の水分子の数はおよそ10^{25}個。地球上の水の総量はおよそ一四億立方キロメートルで、コップで量ると7×10^{21}杯ほどに相当する。ということは、カエサルが飲んで排泄したコップ一杯の水分子は、世界中のどこの水をコップに注いでも必ず一〇〇〇個くらい入っていることになる。
だから、あなたはユリウス・カエサルのおしっこをいくらか飲んだことがあると言える。もちろん、ユリウス・カエサルだからどうということではない。彼の友人のクレオパトラでも同じことが言える。またはイエスでも。再循環が起きるだけの十分な時間が経過していれば、誰でも同じだ。そしてコップ一杯に言えることは、貯水池なら何倍も言える。例のアメリカの貯水池には、おしっこしているところをカメラにとらえられたティーンエージャーの尿が入っていただけではない。アッティラ大王や征服王ウィリアム、そしてたぶんあなたも含めて、大勢の人々の尿が入っていた。

空気も水と同じように、ただしもっと速く再循環しており、同じような計算も当てはまる。一個の肺に入っている空気の分子数は、世界中の肺の数よりはるかに多い。あなたはほぼ確実に、アドルフ・ヒトラーが吐き出した原子を吸い込んだことがある。そしてヒトラーの秘書は彼の口臭がひどかったと報告している。

科学にはひどく驚かされることもある。この章で話しているのは、その驚きに立ち向かうために必要な勇気のこと。まだ解き明かされていない謎に充てるべき勇気だ。

T・H・ハクスリー（第1章に出てきたダーウィンの友人）は、こう言っている。「科学とは手なずけられ整理された常識にすぎない」。彼が正しかったかどうか、私にはよくわからない。私がこの章で話している物語は、常識に逆らっているように思える。空気抵抗は別にして（実験は真空中で行なわなくてはならない）、砲弾と羽毛を同じ高さから落とすと同時に地面にぶつかることを示したとき、ガリレオは常識に逆らった。

冗談だろ、ガリレオ！　でも事実だ。

ガリレオが正しかった理由はこうだ。アイザック・ニュートンによると、宇宙のあらゆる物体は重力によってほかのあらゆる物体に引き寄せられる。その引き寄せられる力は、二個の物体の質量（さしあたって、質量は重さのようなものと考えよう――ちがいはあるが、それはのちほど）を掛け合わせたものに比例する。砲弾は羽毛よりはるかに重いので、重力は強い力をおよぼす。しかし、同じ速度まで加速させるには、砲弾のほうが羽毛よりたくさんの力を必要とする。二つの力はちょうど打ち消し合い、その結果、羽毛と砲弾は一緒に地面にぶつかる。

なぜ質量は重さと同じではないのか、のちほどはっきりさせると言った。この地球上では、人間のような物体の質量はその人の重さ、たとえば七五キログラムと同じである。ところが、宇宙ステーションでは人間に重さはない。彼の重さはゼロだが、その質量はやはり七五キログラムだ。宇宙ステーションで砲弾は風船のように漂う。でも、それを船室の向こうまで投げようとすると、質量がたくさんあることがわかる。かなり努力が必要なのだ。壁を支えにしないかぎり、砲弾を押し出そうとすると、同時に自分が反対方向に押されてしまう。風船とは全然ちがう。そして砲弾が船室の向こう側の壁に当たると、ドスンと「重く」衝突して、何かを壊すかもしれない。誰かの頭にぶつかったら、たとえ砲弾にも頭にも重さがなくても、頭を傷つけてしまう（やはり風船とはちがう）。砲弾の重さは、地球の重力が弾を下向きに引く力の測定値である。質量は含まれる物質の総量の測定値である。宇宙ステーションで砲弾の重さを量ろうとしても、はかりも砲弾も自由に漂うので、砲弾がはかりに圧力をかけることはない。重さはゼロになるだろう。

あなたが体重計にすわったまま、飛行機から飛び出す場合も同じだ。あなたも体重計も同じ速さで落ちる。したがって、あなたが体重計を押すことはなく、あなたの重さはゼロだと報告される。落ちているあいだ、重さはゼロ。それでも、あなたの質量はそっくりそのままである。

このことから、宇宙ステーションではなぜ砲弾が（そして人間と体重計が）重さなしに漂うのか、手がかりがつかめる。地球から遠く離れているので、地球の重力による引く力が届かないからだ、と考える人が多い。それは完全にまちがい。非常によくあるまちがいだ。じつは地球の重力による引く力は、宇宙ステーションでも海水面とほぼ同じくらい強い。宇宙ステーションはそれほど遠く離れてはいないからだ。宇宙ステーション内の物体に重さがないのは、体重計にすわって飛行機から飛び降りた人と同じで、たえず落ちているからである。この場合、地球の周りを落ちている。月もたえず地球の周りを落ちている。月は七〇〇垓（7×10^{22}）キログラムの質量があるのに、重さはない。

「月は重さがなくて、たえず地球の周りを落ちている？」

冗談だろ！　でも事実だ。

私たちは地球を、渓谷のくぼみと山脈の出っ張りがちりばめられているので、でこぼこでしわだらけだと考える。なにしろエヴェレストは高さ九キロメートル近くあり、そこに登った最初の二人は、その偉業のために英雄として称賛されている。でも、もし地球をピンポン球の大きさに縮めたとすると、その表面は一面なめらかに感じられるだろう。エヴェレストでさえ触感に残らない。いちばん目の細かい紙やすりの砥粒《とりゅう》一個くらい小さい感じだろう。

冗談だろ！　でも事実だ。

あなた自身で考えてほしい。ピンポン球の大きさを測定しよう。エヴェレスト山の高さはわかっている。地球の直径を調べて、計算してみてほしい。

なぜ惑星は丸いのか？　重力があらゆる方向から内向きに引いている。固い地面でさえ、十分な時間を与えられれば、液体のようにふるまう。彗星のような小さい物体は丸くなく、ごつごつしていて、形がいびつだ。なぜなら、その重力が弱すぎるので、物体を引っ張って形を整えることができないからだ。冥王星は球状になるくらい大きい。けれども、知られているいくつかの「微惑星」より小さいので、惑星から格下げになった。これに腹を立てた人も多い。でも、それは定義の問題、「意味論」の問題にすぎない。地球より小さい火星は重力も弱いので、山々を内側に引く力がない。だから火星にはエヴェレストより高い山がありうる（そして実際にある）。ピンポン球にした火星は、地球の触感に比べて少しざらざらに感じられるだろう。しかしその小さな衛星のフォボスとデイモスのほうが、明らかにでこぼこしている。ジャガイモのようだ。

昔、世界は静止していて、太陽と月と星が周りを回っているというのが、わかりきった常識に思えた。これほど自然なことがあるだろうか？　あなたが立っている地面はびくともしないように感じられる。太陽は空を東から西へ毎日動き、位置の変化に気づく辛抱強さがあれば、星もそうしている。ギリシアの数学者アリスタルコス（紀元前三一〇〜二三〇年ごろ）は、地球が太陽の周囲を回っていることに初めて気づいた人物だったようだ。地球の回転のせいで、太陽が空を横切っているように見える。この斬新な真実は何世紀も忘れられていたが、ようやくポーランドのニコラウス・コペルニクス（一四七三〜一五四三年）によって再発見される。それはあまりに常識に反していたので、ガリレオはそれを広めたら拷問すると脅された。

〈冗談だろ、ガリレオ！　撤回しなければおまえを拷問にかけるぞ。〉

世界地図を見ると、アフリカ大陸の西海岸と南アメリカ大陸の東海岸が、ジグソーパズルのピースのようにかみ合いそうに見える。一九一二年、アルフレート・ヴェーゲナーというドイツの科学者が勇気を出して、この見解を真剣に取り上げ、そこから何が導き出されるかを考えた。そして世界地図は変わるのだと提唱した。大きく変わる。アフリカと南アメリカはかつて実際につながっていた、と彼は言った。そして生きているあいだは笑いものにされた。大陸ほど巨大なものがどうしたら真っ二つに割れて、その二つ――南アメリカとアフリカ――が何千キロも離ればなれになれるというのか？　でも、それが実際に起こったことだ。

〈冗談だろ！　でも事実だ。〉

ヴェーゲナーは正しかった。ある意味で。およそ一億三〇〇〇万年前まで、アフリカと南アメリカは実際につながっていたのだ。その後、ゆっくりねじり取られて離れた。隙間が狭くて飛び越えられる時期もあった。少しあとには泳いで渡ることができた。いまでは、高速の飛行機を使っても何時間もかかる旅だ。ヴェーゲナーは細かいところで少しまちがっていた。いまでは、地球の表面全体が、かみ合い重なり合う「プレート」でできているという確かな証拠がある。戦車を覆う装甲板に似ている。それらは「テクトニック・プレート」と呼ばれ、動いているのだが、あまりにゆっくりなので、人間の短い生涯では気づくことができない。その動きは、指の爪が伸びる速さにたとえられる。ただし、爪の伸びのようにスムーズではない。もっとぎくしゃくしていて、しばらく知覚できる動きがないかと思えば、突然地震のように動く。実際、そうなったときはたいてい地震が起こる。

テクトニック・プレートは陸地だけで構成されているのではない。各プレートの多くは海の下にある。大陸はプレートの上に乗っている高地にすぎない。動くのはプレートであって、上にある大陸を運ぶ。プレート間に隙間はない。互いに押し合う場所では、さまざまなことが起こりうる。たとえば地震だ。二枚のプレートが互いにずれる場合がある（それこそまさに、地震の多いことで知られる北アメリカ西部のサンアンドレアス断層で起きていることだ）。一方のプレートが他方の下に滑り込む場合もある。この「沈み込み」によって、アンデスのような大きな山脈が押し上げられることもある。ヒマラヤ山脈は、当時は北へ移動する巨大な島だったインドを乗せているプレートが、アジアのプレートの下に押し込まれたときに隆起した。プレート・テクトニクスの証拠はとても興味深く、完全に説得力がある。でも、ここでは踏み込まない。『ドーキンス博士が教える「世界の秘密」』でやったから。この説は大きな驚きであり、常識と激しく対立することを指摘するにとどめよう。

空っぽの空間に立つ

さて、次もびっくり仰天する話で、ほんとうのところ恐ろしい。少なくとも私はそう思う。あなたも、あなたがすわっているイスも（食事をするテーブルも、つま先をぶつける固い石も）、ほぼ完全に空っぽの空間でできているのだ。

冗談だろ！　でも事実だ。

すべての物質は原子でできていて、すべての原子は小さな原子核と、その周囲を回る（やや誤解を招く言葉だが、ほかに適当な表現がないので）もっとはるかに小さい電子の雲でできている。そのあいだには空っぽの空間しかない。ダイヤモンドはよく知られているように硬い。第9章で見たように、ダイヤモンドはきっちり間隔をあけて並んだ炭素原子でできた結晶格子である。炭素原子核がテニスボールの大きさに膨らんだとしたら、ダイヤモンド格子でいちばん近い隣のテニスボールは、二キロ離れていることになる。そしてその間の空間は空っぽだ。なぜなら、電子は意味がないくらい小さい。もしあなたが小さなラケットでそのボールを打てるくらいの大きさに縮むことができたら、格子のいちばん近い次のテニスボールは、あなたには見えないくらいはるか彼方だ。
私の同僚のスティーヴ・グランドは、著書『創造（Creation）』にこう書いている。

子どものころの経験について考えてみて。はっきり覚えていること、まるで自分がほんとうにそこにいるかのように、見えたり、感じたり、もしかすると匂いさえ嗅いだりできる経験だ。なにしろ、あなたは当時ほんとうにそこにいたんだよね？　そうでなければどうして覚えている？　でもここで爆弾発言だ。あなたはそこにいなかった。現在あなたの体内にある原子は一個たりとも、その出来事が起こったときにはそこになかった……。

冗談だろ！　でも事実だ。
物質はあちこちに流れていて、ほんの一瞬だけ集結してあなたになる。だから、あなたが何であるにしても、あなたはあなたをつくっているものではない。このことにゾッとしないなら、そうなるまでもう一度読んでほしい。重要なことだから。

ということは、三〇年前に犯した罪で逮捕された男は、もはや同じ人ではないのだから有罪にはなりえない？　もしあなたが陪審員で、被告側弁護士がそう主張したら、あなたは何と言うだろう？

ほかにも、とても不安になる例を挙げよう。もとはアルベルト・アインシュタインの特殊相対性理論である。もしあなたが宇宙船に乗って光速に近いスピードで出発し、船内のカレンダーで一二カ月後に帰ってきたとしたら、あなたは一歳しか年をとっていないのに、地球にいる友人は全員高齢で亡くなっている。世界は一〇〇年後になっているのに、あなたは一歳しか年をとっていない。宇宙船内の時間そのものが、年をとるプロセスだけでなく搭載されたすべての時計もカレンダーも、地球上にいる人から見るかぎり、ゆっくり進むことになるのだ。ところが、宇宙船に乗っているみんなにとってはちがった。宇宙船内では、すべてが完璧に正常に思える。そのため地球にもどると、あなた自身の孫の孫があなたより年寄りで、長い白髭を生やしているかもしれない。

冗談だろ！　でも事実だ。

安全地帯《コンフォートゾーン》を出てゆく

この章で伝えたいのは、科学はいつも常識をひっくり返すということだ。科学がもたらす驚きは、理解しがたいどころか、衝撃的でさえあるかもしれない。そして私たちには、科学が導き出す道理にしたがう勇気のようなものが必要だ。たとえ導き出されるものが現実にひどく驚かされるものであっても。事実は驚きを超えて、恐怖を引き起こすかもしれない。私自身、量子論の純粋な奇妙さはたしかに恐ろしいと思う。それでも、それはある意味で事実にちがいない。なぜなら量子論の数学的予測は、北アメリカ大陸の幅を髪の毛一本の幅以内の誤差で予測するのに相当する精度であることが、実験によって証明されているからだ。

私が言っている「奇妙さ」とは何だろう？　衝撃的なほど不思議な実験結果を、すべて掘り下げるスペースはここにはない。そうした奇妙な実験結果の一部に関する、いわゆる「コペンハーゲン解釈」に触れるだけにするつもりだ。コペンハーゲン解釈によると、ある事象、量子論的事象は、起きたかどうかを誰かが見るまで起きていないという。ばかげて聞こえるし、その考えは量子論創始者の一人であるオーストリアの物理学者、エルヴィン・シュレーディンガーにも皮肉られている。シュレーディンガーは、量子論的事象と呼ばれる種類の事象によって始動する殺害メカニズムが装備されている箱に、一匹のネコが閉じ込められることを想定した。箱を開けるまで、ネコが死んでいるかどうかはわからない。それでも、絶対に生きているか、または死んでいるはずでは？　そうではないのか？　コペンハーゲン解釈によると、そうではない。コペンハーゲン解釈によると、シュレーディンガーが皮肉っているように、私たちが見るために箱を開けるまでは、ネコは生きているのでも死んでいるのでもないという。明らかにばかげているが、それがシュレーディンガーの指摘するところだった。けれども、どんなにばかげていても、それがコペンハーゲン解釈の結果らしい。そしてコペンハーゲン解釈は多くの著名な物理学者に気に入られた。楽しい漫画を送ってくれた人もいる。動物病院の待合室でのワンシーンで、ペットの飼い主たちが辛抱強く待っている。看護師が出てきて、紳士の一人に告げる。「シュレーディンガーさん、あなたのネコちゃんのことです。良い知らせと悪い知らせがあります」。なんともウィットがきいている。

コペンハーゲン解釈の見かけのばからしさのおかげで、量子論の多世界解釈と呼ばれる別の解釈に至った物理学者もいる（多宇宙理論と混同しないように——よく混同されるが。それについてはあとで取り上げる）。多世界解釈によると、世界はたえず無数の代替世界に分裂しているという。ネコがすでに死んでいる世界もあれば、ネコが生きている世界もある。私がすでに死んでいる世界もあれば、私がまだ生きている世界もある（当然、私がこうして単語を打ち込んでいる世界を含む）。さらに、私が緑の口ひげを生やしている世界も（多くはないが）ある。多世界解釈はある意味で、コペンハーゲン解釈ほどばかげていないように思える。別の意味では、もっとばかげているように思える。もしあなたがこの段落と前の段落にすっかり面食らっていても、心配しないで。私だってそうだ。それこそまさに私が言いたいことである。科学的事実にはゾッとする恐ろしさがあって、私たちにはそれと向き合う勇気が必要なのだ。

昔ガリレオを迫害した人たちは、地球が回っていて、しかも太陽の周囲を移動しているという異端の考えにゾッとした。自分も自分が立っている固体の地球も、ほとんど完全に空っぽの空間だと最初にわかったとき、誰もがゾッとしたかもしれない。しかしだからと言って、それが事実でなくなるわけではない。そして科学的事実は、面食らうようなものやゾッとするようなものであるより、すばらしくて美しいことのほうがはるかに多い。恐ろしくて面食らうような科学の結論と向き合うには勇気が必要であり、その勇気をもてば、あのすばらしさと美しさをすべて経験するチャンスが訪れる。その勇気をもてば、安心できて平凡で、一見確かなものから自分を切り離し、狂気じみた真実を受け止められる。私の友人のジュリアが、キリスト教の信仰を捨てたときのように。

ジュリア・スウィーニーはアメリカの喜劇俳優だ。彼女は『神さまにさよなら（Letting Go of God）』というチャーミングでおかしなステージショーの脚本を書き、そして演じた。ジュリアは善良なカトリック教徒の少女だった。大人になって、彼女は自分の信仰に疑問を感じ始めた。長いあいだ一生懸命そのことを考えた。理屈に合わないことがたくさんある。その宗教には彼女にとって、教えられてきたような良い面よりむしろ、悪い面がたくさんあるように思えた。彼女は科学の本や無神論の本を読んだ。そしてある日、問いかける習慣が一歩進んだ段階に達したとき、頭のなかに小さな声を聞いた。最初、それはささやきにすぎなかった。「神さまはいない」。だんだん大きくなっていく。「神さまはいない」。最後にはパニクった心が叫び声を上げた。「どうしよう！　神さまはいない！」

私はすわって考えた。「いいわ。認める。神さまを信じつづけるに足る証拠はないと思う」。神さまはいない、最高の意識はない、神さまの業はないとしたら、世界は人が予想するとおりに動くのよ。

そして私がものすごく慎重に判断したところ、神さまが私たちをつくった可能性より、私たちが神さまをつくった可能性のほうがはるかに高かったの。身震いしたわ。いかだから滑り落ちていく気がした……。

でも、そのあと思った。「でも、どうすれば神さまを信じないでいられるのかわからない。みんなどうやっているのかしら。どうやって朝起きて、どうやって一日を過ごすの？」。気が動転したわ。そこで考えた。「大丈夫、落ちついて。しばらく、ほんのちょっとだけ、神さまを信じないメガネをかけてみよう。神さまがいないメガネをかけて、あたりをさっと見回して、そしたらすぐにはずしましょう」。そして私はそのメガネをかけて、あたりを見回したの。

恥ずかしい話だけど、最初はめまいがした。実際にはこう考えたの。「うーん、どうして地球は空に浮いていられるのかしら？　私たちはただ宇宙を猛スピードで突っ走っているの？　そんなの危なっかしい！」。私は外に飛び出して、宇宙から落ちてくる地球を両手で受け止めたいと思った。

でも思い出したの。「ああ、そうだ。重力と角運動量のおかげで、私たちはたぶんずっと長いあいだ、太陽の周りを回りつづけるんだっけ」

ジュリアは子ども時代の安全地帯《コンフォートゾーン》から出ることになっても、勇敢に証拠と根拠をたどった。この章のテーマは、無神論への道を行くのに必要な勇気の歩みである。宇宙全体の起源の問題は、とりわけ大きな勇気の一歩だ。それについてはあとで取り上げる。でも、章の冒頭で言ったように、もっと大きな一歩は生命の進化を理解することだった。それはすでに人類が進んだ一歩である。私たちはその事実から勇気をもらうべきだ。

勇気をもって、科学と歩む

よく疑問に思う。人類が——チャールズ・ダーウィンの姿で——進化の真相の全容に気づくのに、なぜ一九世紀半ばまでかかったのだろう。第8章と9章で明らかにできたと思うのだが、自然淘汰による進化は、じつはそれほど理解しがたいものではない。その原理を知るのに数学は必要ない。ダーウィンは数学者ではなかったし、進化という考えをダーウィンとは関係なく、ほんの少しあとに発見したアルフレッド・ウォレスもちがった。なぜ一九世紀より前には誰もわからなかったのか？

なぜアリストテレス（紀元前三八三〜三二二年）はわからなかったのか？　彼は世界屈指の思想家とされている。論理的思考の原理をいろいろと考案した。動植物を注意深く細部まで観察して表現した。それなのに、それらがもたらす明白な疑問、つまり「なぜそこに存在するのか？」への答えとなると、まったく手がかりをつかんでいなかった。アルキメデス（紀元前二八七〜二一二年ごろ）は、風呂に入っているときも出てからも、最高に賢い考えを思いついていた（ウェブで検索してほしい。ただし残念ながらアルキメデスが風呂から飛び出す話は、第3章で取り上げたような、人に伝えたくなる神話のひとつかもしれない）。しかし自然淘汰による進化の考えを、彼が思いつくことはなかった。エラトステネス（紀元前二七六〜一九四年）は、距離がわかっている二地点の正午の影の長さを比較することによって、地球の外周を計算した。すばらしい！　彼は地球の軸の傾き（季節の原因になる傾き）を正確に推定した。こうした功績は、たいていの人が目指すことさえできないほど優秀だ。昔の賢いギリシア人の周囲にも動植物は（そしてもちろん人間も）存在したし、そうした動植物がどうしてそんなに目的に合った姿になったのか、美しく「デザイン」されることになったのか、不思議に思ったにちがいない。にもかかわらず、彼らはきわめてシンプルな考え――ダーウィンの考え――をまったく思いつかなかった。ガリレオも思いつかなかった。アイザック・ニュートンも思いつかなかった。彼ほど頭のいい人はいないと言えそうなのに。* 歴史上の偉大な哲学者も誰ひとり思いつかなかった。その考えはとてもシンプルで、とても説得力があるので、どんな愚か者にも、もっと言えば、高等教育も受けていないし数学も知らない、ただのんびりしているだけの愚か者にも、理解できただろうと思える。平均的なクロスワードパズルを解くよりも簡単に思える（私は心からそう言っている。暗号クロスワードはすごく苦手なのだ）。それなのに、一九世紀半ばまで誰も思いつかなかった。このびっくりするくらい説得力があるのにシンプルな考えは、世界有数の頭脳には思いつかなかったが、ようやく、数学者ではなくて旅する博物学者で標本を集める二人、つまりチャールズ・ダーウィンとアルフレッド・ウォレスの心に浮かんだ。同じころに二人とは関係なく、三番目のパトリック・マシューというスコットランドの果樹園主の心にも浮かんだようだ。

　なぜそれほど時間がかかったのか？　私の考えはこうだ。生きものの複雑さ、美しさ、「目的に合っているさま」が知性のある創造主によってデザインされたことは、あまりに当たり前に思えたにちがいない。そのため、何かほかのことを考えるには勇気をもって大きく飛躍する必要があった。それは戦う兵士の勇気のような、身体的な勇気ではない。知的な勇気だ。一見ばかげていることをよく考えて、「冗談だろ——でも、とにかく危ない橋を渡ってでも可能性を検討しよう」と言う勇気だ。砲弾と羽毛が同じ速度で落ちると言い出すのは、「明らかに」ばかげていた。しかしガリレオには、その可能性を検討して証明する知的な勇気があった。アフリカと南アメリカはかつてつながっていて、それがゆっくり離れていったというのは、完全にばかばかしく思えた。しかしヴェーゲナーには、その考えがどこに通じるかを確認する勇気があった。人間の眼のように明らかに「デザインされた」ものが、実際にはまったくデザインされていないというのは、まったくばかげているように思えたにちがいない。しかしダーウィンには、その「ばかげた」可能性を検討する勇気があった。そしていま私たちは、彼が正しかったことを知っている。それについ

＊　ニュートンは矛盾が複雑に混じり合った人物だった。最高に理性的な科学者だったのに、卑金属を金に変えようという無駄なことに人生の多くを費やした。さらに残りの人生の多くを、聖書に出てくる数字の重要性を分析するなど、別の無駄なことに費やしている。ちなみに、彼は——その頭の良さと関係があるわけではないが——ダーウィンとちがって、あまりいい人ではなかった。嫉妬される側だったはずだとあなたは思うかもしれないが、ニュートンはライバルのロバート・フックにひどい仕打ちをしている。それとは対照的に、飼い犬のダイヤモンドがランプをひっくり返し、彼が書いていた重要な論文の一部を燃やしてしまったときには、腹を立てず、ただ大声でこう言った。「ああ、ダイヤモンド、ダイヤモンド、おまえのしでかしたイタズラがどんなものか、わかっているのかい！」。少なくとも、そういう有名な話がある。そんなことはなかったと主張する歴史家もいる。その場合、第3章で取り上げた神話の始まり方の例に加えるべき、もうひとつの好例ということになる。

て正しかったし、あらゆる生きものの細部ひとつ残らずについて正しかった。

自然淘汰による進化という単純な事実は、古代ギリシアの賢人たちみんなの、ダーウィン以前の聡明な数学者や哲学者たちみんなの、すぐ目の前にあった。しかし彼らの誰にも、当然に思えることを否定する知的勇気がなかった。どう見てもトップダウンで創造されたように思えるものを、みごとに説明できるボトムアップの説がありながら見落としていた。真の説明はとてもシンプルだという事実は、それを追究して詳しく研究するには、さらなる勇気が必要だということを意味した。自然淘汰はあまりにもシンプルだからこそ、そうしたすばらしい頭脳の持ち主たちの目をくぐり抜けたのだ。あまりにシンプルなので、複雑で多様な生命全体を説明するなどという難しいことはできないと、人は考えたのかもしれない。

いま私たちは、ダーウィンが正しかったと知っている――証拠はほかの考えを受け入れない。詰めるべき細かい点はいくつか残っている。たとえば、四〇億年ほど前に、進化のプロセスがどのように始まったのか、私たちは――まだ――正確には知らない。しかし生命の最大の謎――どうしてこんなに複雑に、こんなに多様に、こんなに美しい「デザイン」になったのか――は解き明かされている。そしてこの本の最後の要点は、ダーウィンやガリレオやヴェーゲナーの知的勇気が、将来的に私たちをさらに遠くへと駆り立てるはずだ、ということである。一見ばかげているのに事実だと判明した説の例すべてが、万物についての残された大きな謎と向き合うとき、私たちに新たな勇気をくれるはずだ。宇宙そのものはどうやって始まったのか？　それを支配する法則はどこから来ているのか？

ところで、次に進む前に注意点を。ガリレオ、ダーウィン、ヴェーゲナーは驚くべき考えを大胆に主張し、そして正しかった。驚くべき考えを大胆に主張してまちがう人、とんでもなくまちがう人も大勢いる。勇気だけでは足りない。進みつづけて考えが正しいことを証明しなくてはならない。

私たちの宇宙観は数世紀にわたって広がってきた。そして宇宙そのものも刻一刻、文字どおり膨張している。かつて人々は、存在するのはほぼ地球のみで、太陽と月は頭上を周回しており、星々は半球状のドームにあいている天国への小さなのぞき穴だと考えていた。いま私たちは、宇宙はあらゆる予想を超越した大きさだと知っている。しかし、大昔にはあらゆる予想を超越した小ささだったことも知っている。しかもそれがいつのことだったかも知っている。最新の推定値によると、約一三八億年前のことだ。

膨張する宇宙は二〇世紀の発見だった。世界には、たったひとつの銀河からなる宇宙に生まれた人が今日《こんにち》も生きている――一〇二歳になる私の母もその一人だ。現在彼女は、宇宙そのものが膨張するなか、互いにどんどん離れていく一〇〇〇億の銀河からなる宇宙で生きている。もちろん、これは正しい表現ではない。彼女もシェイクスピアもガリレオもアルキメデスも恐竜もみな、同じ膨張する宇宙に生まれた。しかし私の母が一九一六年に生まれたとき、天の川銀河と呼ばれるひとつの銀河以外のことは誰も何も知らなかった。それが宇宙だったのだ。ガリレオの時代には、そのことについてさえ誰も知らなかった。科学的事実は、たとえ周囲に知っている人が誰もいなくても事実である。人間が出現する前から事実だったのであり、私たちが絶滅したあとも事実である。これこそが、ほかの点では賢い多くの思想家の目をくらましている、重要なポイントなのだ。

一〇〇〇億の銀河からなる膨張する宇宙でさえ、唯一の宇宙でない可能性がある。私たちの宇宙と似た宇宙が何十億もあると、多くの科学者が——正当な理由があって——考えている。この考え方では、私たちの宇宙は何十億という宇宙からなる多宇宙に存在するひとつの宇宙にすぎない。あとでこの考えにもどろうと思う。

現代の物理学者は、私たちの宇宙の歴史のごく初期に何が起きたかについて、かなりよくわかっている。「ごく初期」とは、宇宙の誕生後、最初のほんの一瞬のことである。しかも宇宙の誕生後だけではない。時間そのものの誕生後でもある。「時間の誕生」とは、いったいどういう意味なのか？　その前に何があったのか？　物理学者によると、私たちにはその質問は許されていない。北極の北は何かと訊くようなものだ（と彼らは言う）。しかし、許されないのは私たちの宇宙についての質問だけかもしれない。つまり、私たちの宇宙がほんとうに多宇宙にある何十億の宇宙のひとつだったら、質問は許されるのかもしれない。

現在、神を崇拝する（そしてともかく学識のある）人たちは、創造主の証拠としての生物界には見切りをつけている。なぜなら、生命に関するかぎりダーウィンの進化論が完璧な説明になることを、理解するようになったからだ。その代わり彼らは、ほかの種類の議論に切り替えている。必死になって——少なくとも私にはそう見える——ほかの「空白」に注意を向けているのだ。とくに宇宙論と万物の起源、そこには物理学の基本法則と基本定数も含まれる。

ここで、物理学の基本定数とはどういう意味か、説明しなくてはならない。数にはあなたが測定できるものがある。たとえば銀原子のなかの陽子の数だ。あなたには測定できない数もある。たとえばコップ一杯の水分子の数だ。さらに、その値が数学的に必要な数もある。たとえばπ（パイ）。円の直径に対する外周の比率だが、πはほかにもさまざまな興味深い意味で数学に入ってくる。しかし、物理学者がなぜその値なのかを知らずに、とにかく受け入れている数もある。それが物理学の基本定数と呼ばれる。

その一例が、Gの文字で表される重力定数だ。思い出してほしい。私たちはニュートンから、惑星も砲弾も羽毛も宇宙内のすべての物体は、重力によって互いを引き寄せていることを学んだ。物体どうしが離れていればいるほど、引き寄せる力は弱い（距離の二乗に反比例する）。そして二つの物体の質量が大きければ大きいほど、引き寄せる力は強い（二つの質量の積に比例する）。しかし、実際の引き寄せる力そのものを知るには、最終的に別の数字、G、つまり重力定数を掛ける必要がある。物理学者はGが宇宙のどこでも同じだと信じているが、なぜそれがその値なのかは知らない。Gの値がちがう別の宇宙を想像することは可能だ。もしGが少しでもちがえば、その宇宙は全然ちがうものになるだろう。

もしGが現状より小さかったら、重力が弱すぎて、物質は集まって塊になることができない。銀河も、恒星も、化学物質も、惑星も、進化も、生命もないだろう。Gが現状よりほんの少し大きかったら、私たちの知っている恒星は存在できず、現状のようにはふるまわない。自分自身の重力のもとにすべてが崩壊し、ブラックホールになるかもしれない。恒星も、惑星も、進化も、生命もない。

Gは物理定数のひとつにすぎない。ほかにもたとえば光速のc、原子核を結合させている「強い力」など、こうした定数は一〇以上ある。それぞれに値があって、その値はわかっているが、説明は（いまのところ）されていない。そしてどの例でも、もし値がちがったら、私たちの知っているような宇宙は存在できないと言える。

このことから一部の有神論者は、神がどこか陰に隠れているにちがいないと考える。基本定数それぞれの値は、旧式ラジオのチューニングつまみのように、回すことができるつまみで設定されたかのようだ。私たちの知っている宇宙が存在するためには、ひいては私たちが存在するためには、すべてのつまみが正しく調整されなくてはならなかった。創造的な知性——なんらかの神、つまみを回す神——が、その細かい調整を行なったのだと、どうしても考えたくなってしまう。

でも、それは断固抵抗すべき衝動である。その理由はこれまでの章で見てきた。そうしたつまみすべての微調整はありえないように思えるかもしれない。なにしろ、調整つまみそれぞれが、さまざまな位置にセットされる可能性がある。しかし、その微調整の精密さがどんなにありえなく思えても、その精密な調整をすることができる神も、少なくとも同じくらいありえないはずだ。そうでなければ、彼は調整方法をどうして知っているのか? 論理に神を取り入れることでは問題は解決しない。ただ一段階押しもどすだけである。説明にならないことは明々白々だ。

ダーウィンが解決した問題、具体的には生命の大変なありえなさの問題は、かなり手ごわかった。ダーウィンが現れる前、この章の前半で繰り返された「冗談だろ！」が、神による生命の創造にあえて疑問を投げかける人の胸を、ものすごい力でぐさりと刺しただろう。ほかのどんな場合よりも強い力だったかもしれない。その複雑さのすべて、たとえばツバメの速さと優雅さ、アホウドリやハゲワシの微調整された翼面、脳や網膜の圧倒的な複雑さ、もちろん一頭のゾウをつくる一〇〇〇兆もの細胞の一つひとつ、クジャクやハチドリのきらめく美しさ——そのすべてが、自発的で指示も監督もない物理学の法則によって生まれたのか？

対照的に、物理学の法則と定数の起源のような比較的単純なものを説明することは、かなり楽勝のはずだ。たしかにその問題はまだ解決されていない。でも、生命と生存のニーズに合わせた微調整というもっと大きな問題を、ダーウィンとその後継者たちが首尾よく解決したことは、私たちに勇気を与えてくれるはずだ。ダーウィンだけでなく、ほかのすばらしい科学の成功をすべて考えればなおさらだ。私たちはそのような成功のリストをよく知っている。抗生物質、ワクチン、そして科学的外科手術がなければ、私たちの多くは死んでいるだろう。科学的工学がなければ、自分の生まれた場所から数キロ以上移動したことのある人はほとんどいないだろう。科学的農業がなければ、私たちの大半は飢えるだろう。しかしここで私は、たったひとつの壮大な科学を選んで、それに注目したい。私たちが関心をもっている深遠な疑問、つまり宇宙はどうやって今ある姿になったのかという問いに関連する科学だ。

世界各地の宇宙論研究者は、お互いの発見を建設的に取り入れている。そしてビッグ・バンのあとに何が起こったかについて、詳細な理論を築き上げてきた。しかし、そんな理論をどうやって検証するのか？　まず「初期状態」――つまり、ビッグ・バン直後に物事がどうだったと考えるか――を決める必要がある。次に、もしあなたの理論が正しいなら、いま物事はどうあるはずか、理論を使って推定する。言い換えれば、理論を使って遠い過去から現在を予測する。そして、物事が実際にどうなっているかを調べて、あなたの予測が正しかったかどうかを確認する。

予測を推定するのに、数学的証明を使えると思うかもしれない。残念ながら、それには細部があまりに複雑すぎる。重力に加えて、たとえば渦巻くガスとちりの雲のような、ごく小さな局所的相互作用が数え切れないほどたくさんある。そのような複雑さに対処するには、コンピューターで「モデル」をつくり、それを走らせたらどうなるかを見るしかない。第10章に出てきた、クレイグ・レイノルズと彼の「ボイド」モデルのようなものだ。しかももっとずっと込み入っている。先ほど「コンピューター」と言ったが、それは簡便な表現だ。どんなに大きいコンピューターでも、たった一台では宇宙の成長をシミュレーションする大きさには遠くおよばない。計算はそれほど膨大なのだ。いまのところ最も進んだシミュレーションは「イラストリス」と呼ばれており、それに必要なのはコンピューター一台どころか、同時に走る八一九二台のコンピュータープロセッサーだった。しかもふつうのコンピューターではなく、スーパーコンピューターである。イラストリス・シミュレーションは、ビッグ・バンそのものからではなく、三〇万年後から始まっている（それに続く一三八億年に比べれば、ごく短い時間だ）。そうしたスーパーコンピューターすべてをもってしても、すべての原子のありとあらゆる細部をシミュレーションすることはできなかった。それでも、予測された宇宙の現在の形を実際の現実と比較するのは、とても興味深い。

図13を見てほしい。ちょっとしたジョークが入っている。この写真は上下に分かれていて、半分は現実の宇宙であり、一九九五年にハッブル宇宙望遠鏡によって撮影された有名なハッブル・ディープフィールド写真だ。もう半分はイラストリスが予測した宇宙である。どっちがどっちかわかるだろうか？　私にはわからない。

科学はすばらしいだろう？　もしあなたが私たちの理解に空白部が見つかったと思い、それを神で埋められるだろうと考えるなら、私はこうアドバイスする。「歴史を振り返り、けっして科学の負けに賭けるな」

先ほど言ったように、イラストリス・シミュレーションはビッグ・バンの三〇万年後から始まっている。ここでもっと前に、宇宙そのものの起源までさかのぼろう。基本定数と「微調整」論、つまりつまみを正しい位置に回すという話にもどろう。問題をもう一度考えよう。まずは、人間原理（anthropic principle）と呼ばれる興味深い考え方だ。

「anthropos」はギリシア語で「人間」を意味する。だから「anthropology」（人類学）のような単語がある。私たち人間は存在する。私たちが存在することを私たちが知っているのは、私たちはここにいて、自分自身の存在について考えているからだ。したがって、私たちが住む宇宙は、私たちを生むことのできるような宇宙でなくてはならない。そして私たちが住む惑星は、私たちを生むのに適した条件でなくてはならない。私たちが緑色植物に囲まれているのは偶然ではない。緑色植物（またはそれに相当するもの）がない惑星は、自分自身の存在を考えられる生きものを生むことはできなかった。私たちには、究極の食物源として緑色植物が必要だ。空に星が見えるのは偶然ではない。星のない宇宙は、水素とヘリウムより重い化学物質のない宇宙である。そして水素とヘリウムしかない宇宙には、生命の進化を起こすのに十分な化学物質がない。人間原理は言葉にする必要がほとんどないくらい明白である。しかしそれでも重要だ。

私たちの知る生命は液体の水を必要とする。水が液体として存在するのは、ごく狭い温度範囲内だけである。寒すぎると固体の氷になる。暑すぎると気体の蒸気になる。私たちの惑星はたまたま太陽から適当な距離にあるため、水が液体でいられる。宇宙内のほとんどの惑星は、（冥王星のように──そう、冥王星はもう惑星の仲間でないのはわかっているが、要点は変わっていない）太陽から遠すぎる、あるいは（水星のように）近すぎる。あらゆる恒星には「ゴルディロックスゾーン」（暑すぎず寒すぎず、子グマのおかゆのように「ちょうどいい」）がある。地球は太陽のゴルディロックスゾーンにある。火星と冥王星は、意味は逆だがどちらもそこにはない。しかしもちろん人間原理によれば、地球がゴルディロックスゾーンにあるのは私たちが存在しているからだ。私たちの惑星がゴルディロックスゾーンになかったら、私たちは存在できないだろう。

ところで、惑星に言えることは宇宙にも当てはまる。すでに話したように、私たちの宇宙は「多宇宙」にある多くの宇宙のひとつだと考える十分な理由が、物理学者にはある。

多宇宙は――少なくとも一部の解釈によると――「インフレーション」論と呼ばれる理論から来ている。この理論は科学の「冗談だろ！」の極《きわ》みなのだが、現在、ほとんどの宇宙論研究者に受け入れられている。そして、多宇宙内の何十億という宇宙すべてで法則と基本定数が同じと考える理由はない。宇宙がちがえば、重力定数Gの調整でダイヤルを大きく回すことになるだろう。Gが「スイートスポット」、つまり最適の位置に調整されている宇宙は少ないかもしれない。法則と定数がたまたま最終的な生命の進化に「ちょうどいい」、「ゴルディロックス宇宙」は宇宙の少数派にすぎない。そしてもちろん（再び人間原理になるが）、私たちはその少数派の宇宙のひとつにいなくてはならない。私たちの存在そのものが、私たちの宇宙はゴルディロックス宇宙でなくてはならないと断定している。それは何十億とありうる人を寄せつけない並行宇宙に囲まれた、ひとつの心地よいゴルディロックス宇宙なのだ。

冗談だろ！

「でも事実だ」と続けるのはまだ早い。物理学者はこの問題についてもっと研究する必要がある。私たちに言えるのは、見込みがありそうだということ。さらに――そしてこれがこの最終章の要点だ――ありえないように思えるものの恐ろしい空白部に大胆に踏み込むことは、科学史においてはたいてい正しいことだと判明している。私たちは勇気をもって大人になり、あらゆる神に見切りをつけるべきだと思う。そうは思わないか？

訳者あとがき

本書はリチャード・ドーキンスによる *Outgrowing God: A Beginner's Guide* の全訳です。outgrow とは、子どもから大人へと成長して何かから卒業することを意味します。つまり原題は「神を卒業する」ためのビギナーズガイドということです。ですから、宗教との決別を宣言した『神は妄想である』（垂水雄二訳、早川書房）のヤングアダルト版といえる部分もあります。ドーキンスが若い人に向けて書いた本としては、拙訳の『ドーキンス博士が教える「世界の秘密」』（早川書房）があり、全ページにイラストがふんだんに使われた、子どもにも面白く読めるオールカラーの科学入門書です。本書はもう少し年上の「自分で判断できる年齢になったすべての若者たち」に向けて書かれています。

まず第1部「さらば、神よ」で、神を信じるべき理由の正当性を徹底的に覆します。ドーキンス自身が一五歳まで信じていたキリスト教の教義を中心に、宗教が抱える矛盾点を鋭く指摘しているのです。たとえば、『新約聖書』に書かれているイエスの行ないは歴史的事実ではありえないし、『旧約聖書』は世界中に数ある神話のひとつであって、神話は基本的に作り話であると、さまざまな例を挙げて説明します。さらに、聖書はたとえ事実でなくても、人を善良な生活に導くガイドなのだという宗教側の言い分にも、聖書に描かれている神の嫉妬深さや冷酷さを突いて反論します。善良な人間であるために「神さまが見ているから」と考える必要はなく、みずからの良心にしたがえばいいのです。もし幼いころから神の存在を教え込まれてきたのなら、その神にサヨナラしよう、とドーキンスは訴えます。

そして第2部「進化とその先」で、生きものの複雑さや美しさをつくり出した自然の仕組みを明かします。口絵写真でわかるように、自然の生きものには信じられないようなエレガントさ、不可思議さ、精巧さが見られます。まるで誰かがデザインしてつくり出したかのようです。でもそれはけっしてデザインされたのではなく、気の遠くなるほどの時間をかけて、少しずつゆっくり進化してきたのです。その過程もまた、長い時間をかけて科学によって明らかにされてきました。科学はつねに新しいこと、これまでになかったことを追究します。最初は誰からも信じてもらえない、受け入れてもらえないものです。それでもたゆまぬ努力によって、これまで科学は人間を大きく進歩させてきました。だから勇気をもって、科学の導きで未知の領域に踏み込んでいこう、とドーキンスは誘います。

日本人の大半は無宗教か、少なくとも日常生活で神を意識することはほとんどありません。しかし、世界には信仰心の篤い国民が大勢いて、日常的な行動や社会の営みに宗教が強く影響している国もたくさんあります。科学の最先端を行っているアメリカでさえ、天地も人間も神が創造したと信じる人がかなりの割合でいて、学校で進化論を教えるかどうかさえ論争になります。そんな社会で子どもたちが無条件に信仰を刷り込まれることに、ドーキンスは危機感を覚えています。なぜなら、人の心を救うはずの宗教が、怒りと憎しみをあおり、多くの人の命を奪うテロや戦争を引き起こしているからです。だからあえて若者に向けて、神への信仰を卒業して、科学の導く未来への道を歩いていこうと呼びかけるのです。そんなドーキンスの呼びかけは、若者だけでなく大人の心にもきっと響くことでしょう。

最後に、今回も刊行までに多くの方々の力をお借りしました。とくに、本書の翻訳の機会をくださった早川書房の伊藤浩さん、訳稿を丁寧にチェックしてまちがいを正し、貴重な助言をくださった同社編集部の千代延良介さん、詳細に見ていただいた校閲の担当者に、心から感謝します。

二〇二〇年六月

■か

索　引

＊「神」などの頻出語は立項していない。

さらば、神《かみ》よ
科学こそが道を作る
2020年7月25日　初版発行
2020年9月25日　再版発行
*
著　者　リチャード・ドーキンス
訳　者　大《おお》田《た》直《なお》子《こ》
発行者　早　川　浩
*
印刷所　中央精版印刷株式会社
製本所　中央精版印刷株式会社
*
発行所　株式会社　早川書房
東京都千代田区神田多町2−2
電話　03-3252-3111
振替　00160-3-47799
https://www.hayakawa-online.co.jp
定価はカバーに表示してあります
ISBN978-4-15-209957-0　C0040
Printed and bound in Japan
乱丁・落丁本は小社制作部宛お送り下さい。
送料小社負担にてお取りかえいたします。